COMO LIMPIAR VENTANAS COMO PROFESIONAL

COMO LIMPIAR VENTANAS COMO PROFESIONAL

EL PRIMER LIBRO COMPLETO SOBRE COMO LIMPIAR LAS VENTANAS DE MANERA PROFESIONAL

Escrito por
John Baxter

Ilustrado por
Jim Dilts

AVISO DE DENEGACION

Este libro no intenta ser un manual de instrucción de gran amplitud para la limpieza de las ventanas. Algunas ventanas se limpian mejor con un limpiador de ventanas profesional. Este libro recomienda las prácticas razonables y seguras para limpiar las ventanas (i.e., ambos pies en el suelo y no inclinándose fuera de la ventana). Si esto no es posible, entonces usted deberá de emplear a un limpiador profesional de ventanas.

El autor y el publicador no se hacen responsables por cualquier daño que pueda ocurrir a la propiedad o cualquier lesión causada a cualquier o a cualesquier persona en lo absoluto. Tampoco hay garantías, expresadas o implicadas referente a cualquier producto mencionado.

TITULADO ORIGINAL

HOW TO CLEAN WINDOWS LIKE THE PROS

ISBN 0-9632123-3-8

TITULADO ANTERIORMENTE

TAKING THE PANE OUT OF WINDOW CLEANING

ISBN: 0-9632123-4-6

TRADUCTOR Y TIPOGRAFO: CHARLES PROSPER

EDITORA: LUZ MERY PROSPER

PRIMERA IMPRESION

IMPRESO EN LOS ESTADOS UNIDOS

Publicado por

Crystal Press

Simi Valley, California

CONTENIDO

INTRODUCCION **PAGINA**

Introducción	8
Si un Ciego Puede Limpiar Las Ventanas	9
El Escurridor de Goma Profesional	10
El Almacenamiento y Manejo	11
Inspeccionando el Escurridor de Goma	13
La Historia del Escurridor de Goma	17
EL COMIENZO	
Cómo Funcionan los Escurridores	19
Los 10 Mandamientos de las Ventanas	29
Limpiando Las Ventanas	35
Mojando Las Ventanas	37
Cómo Utilizar un Escurridor de Goma	43
La Localización de Averías	49
AVANZADO	
Las Ventanas de Díficil Alcance	63
"Abanicando" con un Escurridor	73
Torsión del Escurridor de Goma	79
La Limpieza de Ventanas Especiales	83
Consejos Provechosos	89
Apéndice	91

¡Uf! Rayas.

RECONOCIMIENTOS

Escribir un libro es como un embarazo; parece que nunca se va a terminar, especialmente durante esos meses de verano.

Organizando la tipografía, las ilustraciones, la redacción y la imprenta son el parto y el dar a luz de un libro.

Una vez que el "bebé" se haya dado a luz, hay un sentido de alivio y de alegría, y yo quisiera agradecer a aquellas personas quienes me apoyaron, ayudaron y animaron durante mi embarazo de tres años:

A Jim Dilts, el ilustrador, cuyas excelentes ilustraciones han avivado este libro.

A Lyb Bruton, por sus habilidades de redacción.

A Norm Popp de la compañía Limpieza de Ventanas de Santa Bárbara, y a Steven Miller de la compañía Limpieza de Ventanas de Great Lakes por sus redacciónes técnicas.

A Karen Baxter, mi esposa, cuyo apoyo y amor hicieron que fuera posible este libro.

Gracias

INTRODUCCION

La gente gasta miles de dólares por nuevos carros y toman el tiempo para limpiar sus parabrisas dos veces por semana, y a la vez esa misma gente gastará cientos de miles de dólares por la compra de sus casas y luego limpian sus ventanas una vez al año.

No hay razón por la cual deban tolerar la admiración de un hermoso día mirándolo por medio de una ventana sucia. La limpieza de las ventanas es muy sencilla. Los "buenos escurridores de goma" son muy fáciles de usar con pocas instrucciones.

Todos tenemos nuestra ventana favorita por la cual nos gusta mirar el mundo. Tal vez sea una ventana cerca de la bahía que está encima del fregadero de la cocina, una puerta de vidrio deslizadora frente al patio o una ventana con una vista especial. Aprenda a limpiar una o dos de esas ventanas especiales por las que usted mira con más frecuencia, limpiarlas una o dos veces al mes.

Una vez que usted haya dominado la sencillez de la limpieza de las ventanas utilizando los pasos básicos, todo lo demás es pan comido. Su confianza se aumentará y tal vez quiera experimentar con la técnica "abanicando el vidrio" o el trabajo de "palo de alto alcance", que hará que su limpieza de ventanas sea aún más rápido y más sencillo.

Pruebe la limpieza de las ventanas de la manera que los profesionales lo hacen. La vista de adentro para afuera se verá más luminosa.

SI UN CIEGO PUEDE LIMPIAR LAS VENTANAS...

Toby no puede ver, más sin embargo él tomó el tiempo para aprender a limpiar las ventanas. El se mueve lentamente, y parece mezclarse con el vidrio y las estructuras de concreto. La gente sobre los andenes ocupados con sus propias vidas pasan corriendo cerca de él todo el día, sin darse cuenta de sus logros.

Cuidadosamente, él examina con su dedo delgado el borde de la ventana delante de él mientras se mueve con un cubo de agua y un palo largo. Después de examinar la pared por el borde de la ventana, él coloca el cubo de agua y el palo contra la pared a su alcance. El alcanza para abajo dentro del agua jabonosa, y escurre el exceso de agua antes de torcer el palo. El vidrio de veinte pulgadas delante de él es el más duro frotado en Los Angeles.

Después de dejar la vara en el cubo del agua, él retira su escurridor de goma de la funda de su cinturón y le da un medio torcejón al palo. El jala el escurridor para abajo hasta el borde de la ventana directamente delante de él tres veces, limpiando la goma del escurridor cada vez. Entonces, él toca el borde y se mueve diez pulgadas para situarse delante de lo que quedó mojado de la ventana. Cuando él termina, la ventana resplandece y no tiene ni siquiera una raya.

Si un ciego puede limpiar ventanas, usted también.

"Una persona es un fracaso sólo si se da por vencida." Toby

EL ESCURRIDOR PROFESIONAL DE GOMA

Hay solamente cinco fabricantes de verdaderos escurridores profesionales de goma: ***Ettore, Unger, Sorbo, Pulex and Mr. Longarm.*** Si usted no está utilizando un escurridor de goma hecho por uno de estos fabricantes, entonces este libro es una pérdida de su tiempo y dinero. (Véase el apéndice para el equipo que usted puede comprar.) El escurridor profesional de goma experimenta la examinación constante para la durabilidad y el desgaste. Esta goma altamente técnica es precisamente moldeada y cortada pasando el control de calidad más estricta. No es fácil hacer un escurridor de goma que deje una ventana sin rayas.

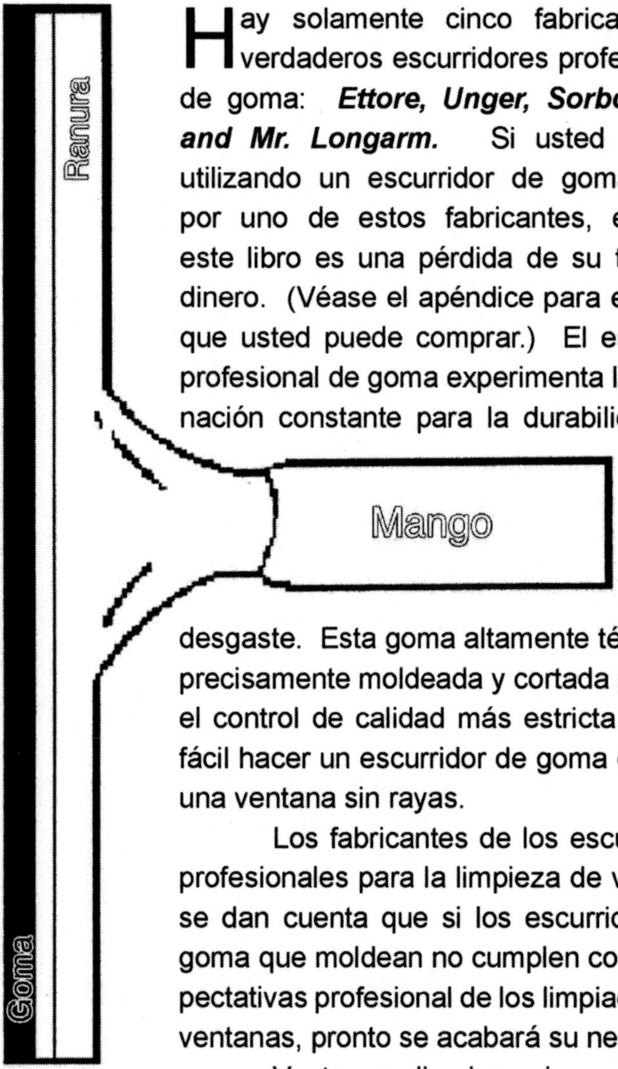

Los fabricantes de los escurridores profesionales para la limpieza de ventanas se dan cuenta que si los escurridores de goma que moldean no cumplen con las expectativas profesional de los limpiadores de ventanas, pronto se acabará su negocio.

Ventanas limpias sin rayas comienzan con un buen escurridor profesional.

EL ALMACENAMIENTO Y MANEJO

Los escurridores profesionales de goma para la limpieza de ventanas necesitan el cuidado tierno y amoroso. Cuídelos, y ellos le ayudarán a tener ventanas sin rayas.

Entonces, cuando no esté usando su escurridor:

1) Almacénelo en un lugar oscuro y fresco. La goma se deteriorá si está a la luz y al aire libre, causando que el borde de la goma deje de ser tan afilado y duradero como podría ser.
2) Almacénelo con el lado del ule hacia arriba. Los desgastes y roturas son causadas durante el almancenamiento cuando el borde del escurridor está frotando contra una pared o estante.
3) Limpie y seque el escurridor antes de almacenarlo. Tal como los platos, es un utensilio que se debe limpiar antes de guardarlo.

Cuando usted esté usando su escurridor:

1) Coloque el escurridor hacia abajo. Con cuidado de rayar o rasgar el borde de ule.
2) Recueste el escurridor en un cubo para que el escurridor se toque en el metal y no el ule.

Siempre inspeccione el escurridor de goma antes de usarlo.

INSPECCIONANDO EL ESCURRIDOR DE GOMA

Los limpiadores profesionales de ventanas siempre inspeccionan sus escurridores de goma antes de empezar con ellos. He aquí lo que tiene que revisar en su escurridor.

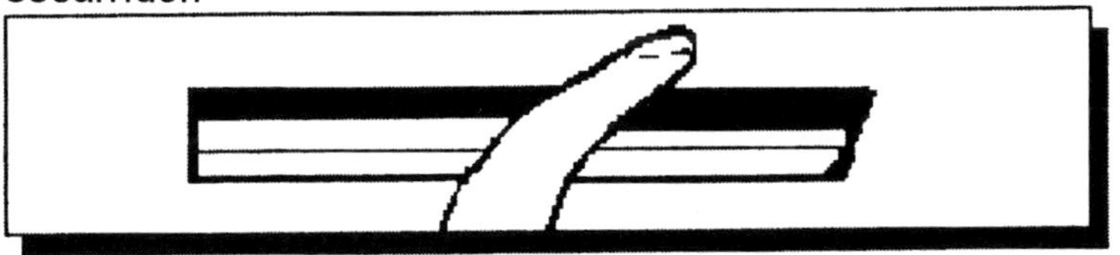

Frote su dedo suavemente a través del borde del ule. Debe de sentirse recto, no ondulado ni arrugado. No debe de sentirse estirado ni apretado.

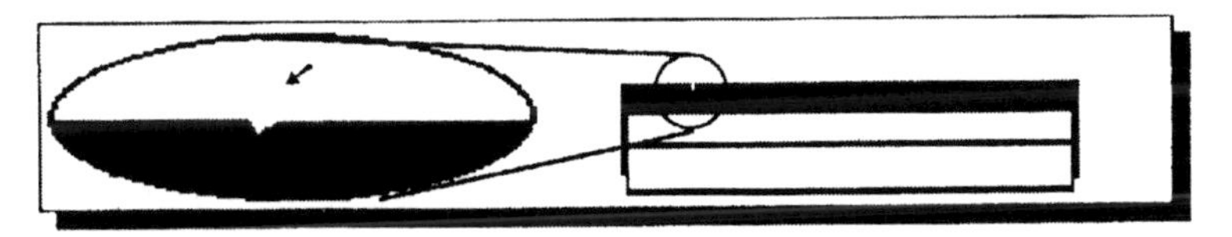

La ranura más pequeña en el borde del ule significa que dejará una raya en la ventana. Si está con una ranura, saque el ule y voltéelo para usar el otro borde.

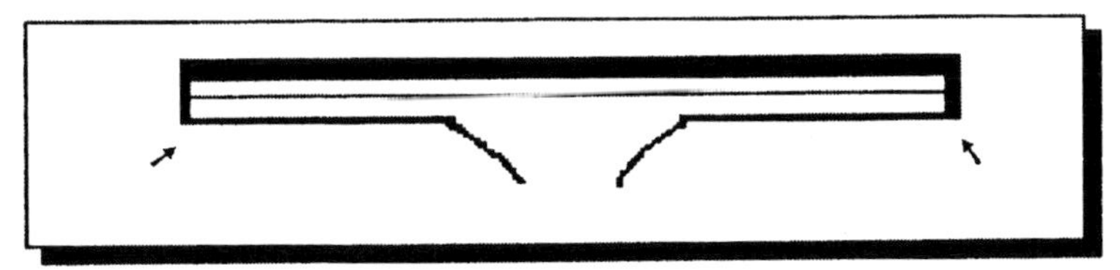

Un cuarto de pulgada debe de sobresalir por cada lado del escurridor. Esto es para suavizar un golpe o evitar un raspón de pintura en las molduras de las ventanas.

El caucho debe de encajarse recto dentro de la ranura del escurridor de goma.

Cuando usted mete descuidadamente el ule en la ranura, queda ondulado. Esto causa que el ule no se acueste plano contra la ventana, y causará las rayas.

Cuando usted estira el ule, los extremos parecen levantados, y lo de en medio parece tenso. Esto también causa que el ule no se acueste plano contra la ventana, y causará las rayas.

El ule debe de verse parejo de lado a lado. Esto evitará las rayas.

Revise las esquinas puntiagudas por el desgaste. El escurridor de goma siempre empieza a mostrar el desgaste en las esquinas. Ellas tienen una apariencia desteñida y áspera mientras tanto el resto se mira brilloso y suave. Si el ule de un escurridor de goma se ha usado, usted sabrá.

Mirando los lados

Inspeccione el escurridor por una ranura doblada o arqueada. La ranura debe de aparecer recta para que se le pueda aplicar una presión pareja al ule cuando usted lo utilice.

Si la ranura está doblada, el ule no puede acostarse plano y esto causará rayas en la ventana. Cuando la ranura está arqueada, resulta lo mismo como estar doblada, excepto que las rayas resultan en la sección de en medio de la ranura. El ule no puede acostarse plano y por consecuencia las rayas aparecerán.

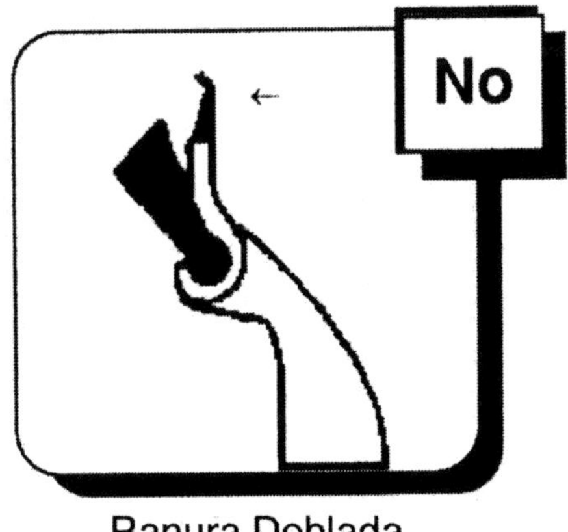

Ranura Doblada

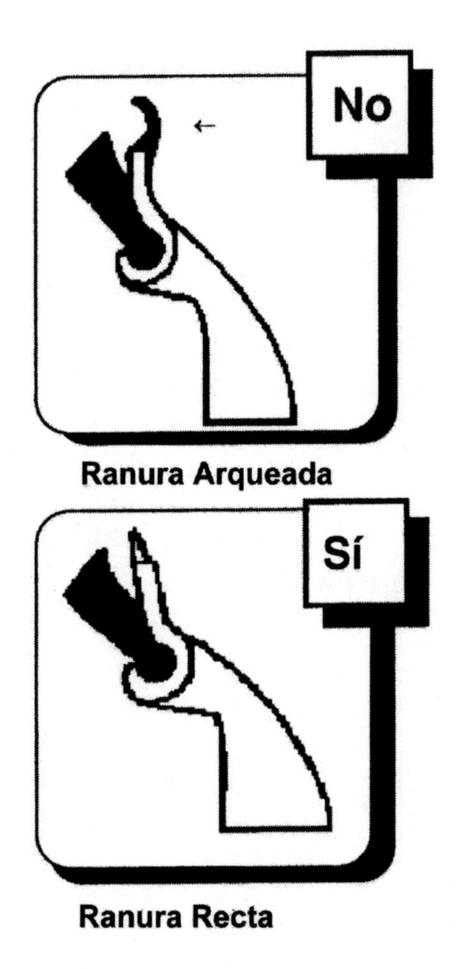

Cuando la ranura está recta, el ule se acostará plano cuando se presiona contra una ventana. Acostúmbrese a inspeccionar su escurridor antes de comenzar. Le evitará algo de frustración cuando usted limpie sus ventanas.

LA HISTORIA DEL ESCURRIDOR DE GOMA

Los Escurridores en el año 500 A. de C.

Unicamente desde los últimos cien años existen los escurridores para la limpieza de las ventanas. Antes de aquel tiempo, los vidrios tenían tantas irregularidades en su textura que eran casi imposible limpiarlos con un escurridor. Las primeras herramientas de tipo escurridor, las usaban los atletas griegos alrededor del año 500 A. de C. Fueron moldeadas con oro o bronce, se usaban para raspar los aceites y el sudor de su piel después de las competencias atléticas. Fue llamado un astregia.

Después supimos de los escurridores en la Edad Media. Aquí es cuando el escurridor (squeegee) pudo haber recibido su nombre moderno. Una tira de cuero que se sostenía por un pedazo de madera y se ataba a un palo. "Se culebreaba" al empujarse en la cubierta de un barco. El nombre "squeilgee" pudo haber sido por este culebreo o por el sonido insólito al raspar contra la cubierta.

Un "escurridor" de la Edad Media

Alrededor de 1900, fue inventado el primer escurridor moderno. Se llamaba el "Chicago Squeegee" (el Escurridor de Chicago), y era una tira gruesa de ule entre dos tiras más gruesas atornilladas juntas con acero o latón. El ule que se producía en aquel entonces era tan irregular que los limpiadores de ventanas tenían que rasparlo sobre la acera para molerlo y suavizar su borde.

El escurridor moderno fue inventado por Ettore Steccone en 1936, y consiste de una sola tira de ule precisamente cortada. Todavía es la herramienta básica de la profesión de la limpieza de ventanas. En el mundo sólo hay cinco fabricantes de escurridores.

COMO FUNCIONAN LOS ESCURRIDORES

Cuando el agua está extendida sobre una ventana la mayoría de ella se pega al vidrio y se queda en su lugar hasta que se le limpie o el sol la seque. Imagínese que esas gotas de agua sean canicas pequeñas extendidas parejas sobre una mesa.

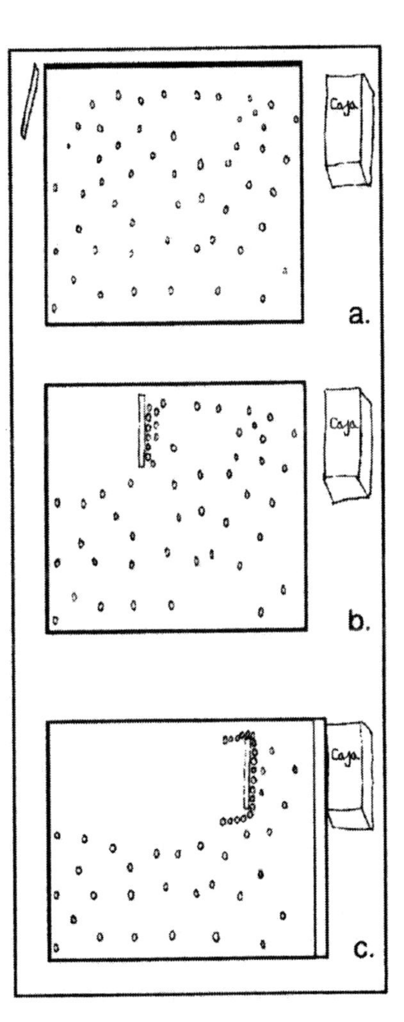

Si usted hiciera que una regla de 12 pulgadas recogiera las canicas, usted podría mover la regla a través de la mesa y por en medio de las canicas. Ellas se agruparían a lo largo del borde de la regla hasta que el borde no pudiera aguantar más.

Entonces...las canicas comenzarían a salirse por cada extremo de la regla.

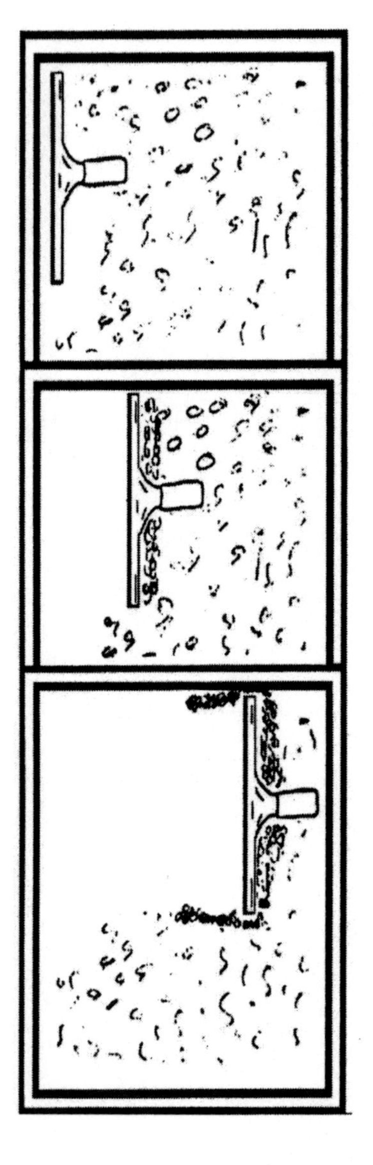

Cuando usted jala un escurridor a través de una ventana, usted recoge las gotas de agua debajo de la ranura del escurridor, como recoger las canicas a lo largo de la regla.

Cuando usted sigue jalando el escurridor a través del vidrio, el agua continúa llenando el área detrás de la ranura del escurridor hasta que...

el agua se rebosa por fuera de los extremos de la ranura.

Usted quiere que el agua fluya para afuera de sólo un extremo, no por ambos extremos.

Al igual, si usted pasa su escurridor hacia abajo de una ventana, usted recogerá las gotas de agua debajo de la ranura del escurridor (como recoger las canicas a lo largo de la regla.)

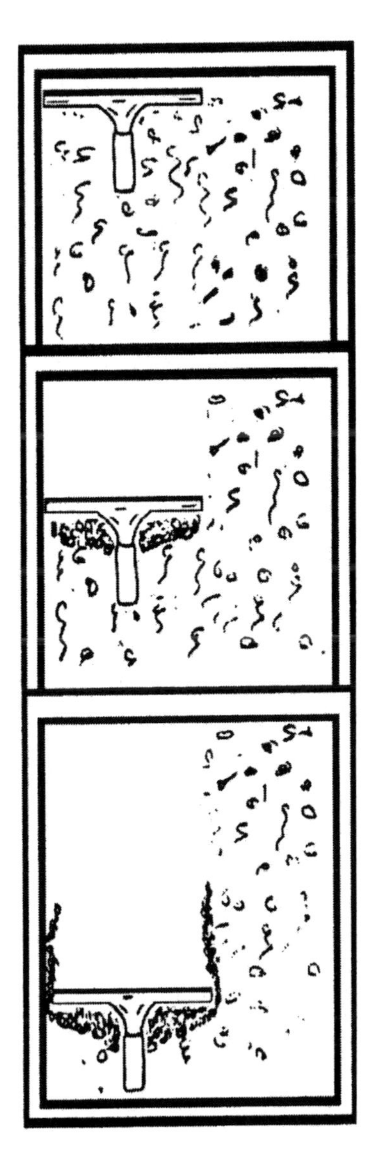

Cuando usted sigue jalando el escurridor hacia abajo de la ventana, el agua continúa llenando el área debajo de la ranura del escurridor hasta que...

el agua se rebosa por ambos extremos de la ranura.

Nuevamente, usted quiere que el agua fluya para afuera por un extremo y no por ambos extremos.

Con las canicas extendidas en la mesa,

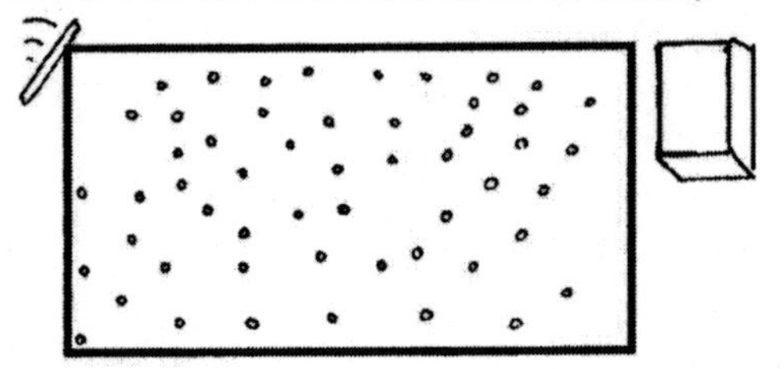

si usted voltea la regla un poco

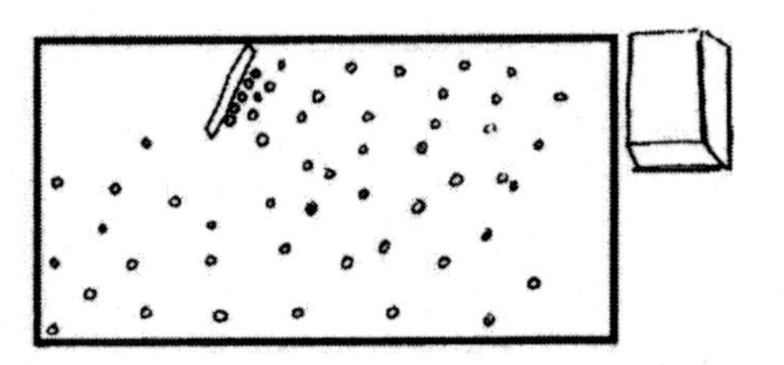

entonces se mueven las canicas,

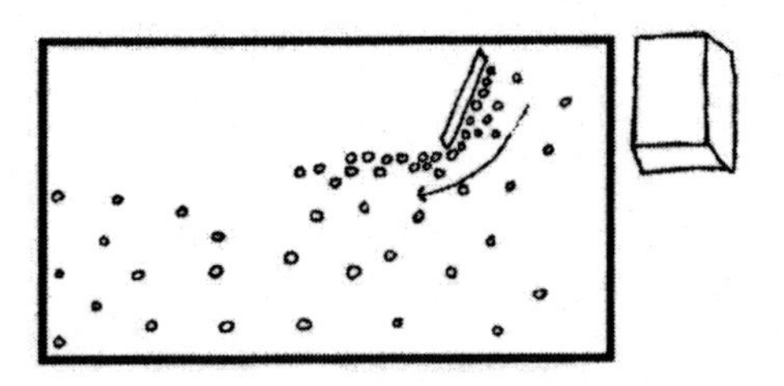

las canicas se mueven para afuera del lado de la *"menor resistencia."*

Cada vez que usted jala las canicas...

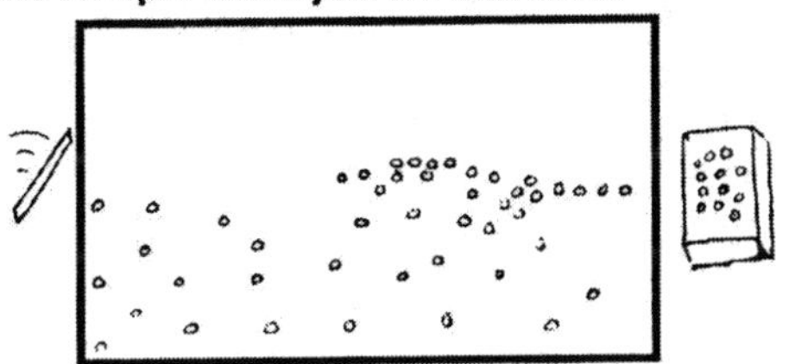

mantenga la regla al mismo ángulo.

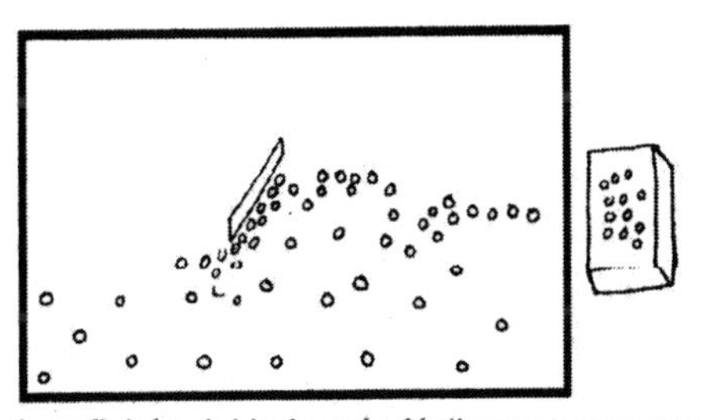

Las canicas fluirán del lado más fácil para escaparse.

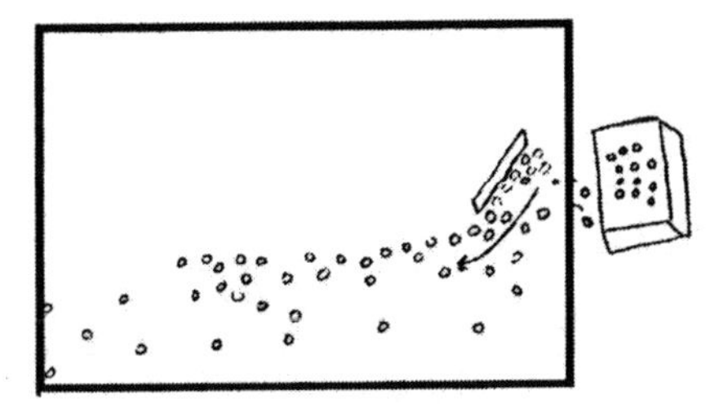

Finalmente, usted limpiará todas las canicas sin tener que devolverse.

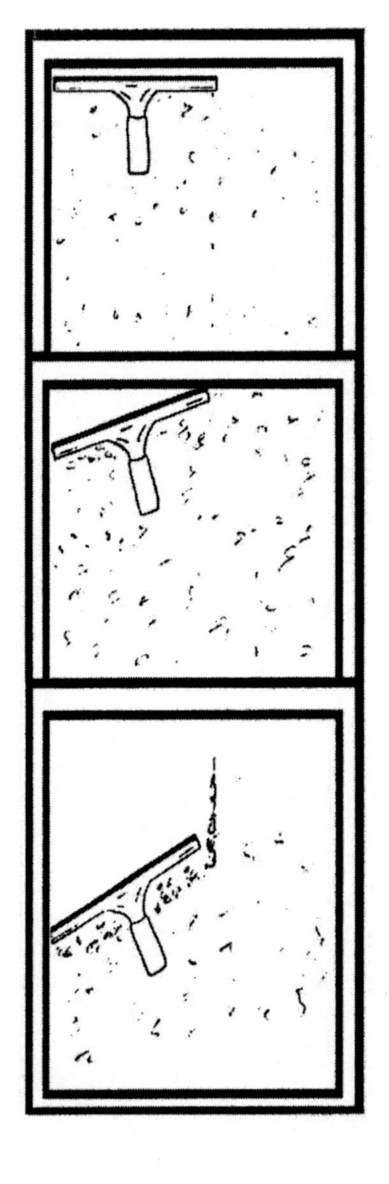

El secreto para utilizar un escurridor con éxito es de mover el agua hacia donde usted quiera que vaya, poner el escurridor un poco en ángulo. Si usted está jalando el escurridor hacia abajo de la ventana...

voltéelo por un lado (para que un lado de la ranura esté más abajo que el otro).

Cuando usted mueve el escurridor hacia abajo de la ventana mojada, el agua se acumula debajo de la ranura, y...

el agua fluye para afuera del lado más fácil–**el lado de *la menor resistencia.***

Cuando usted coloca el escurridor cerca del área acabada de secar...

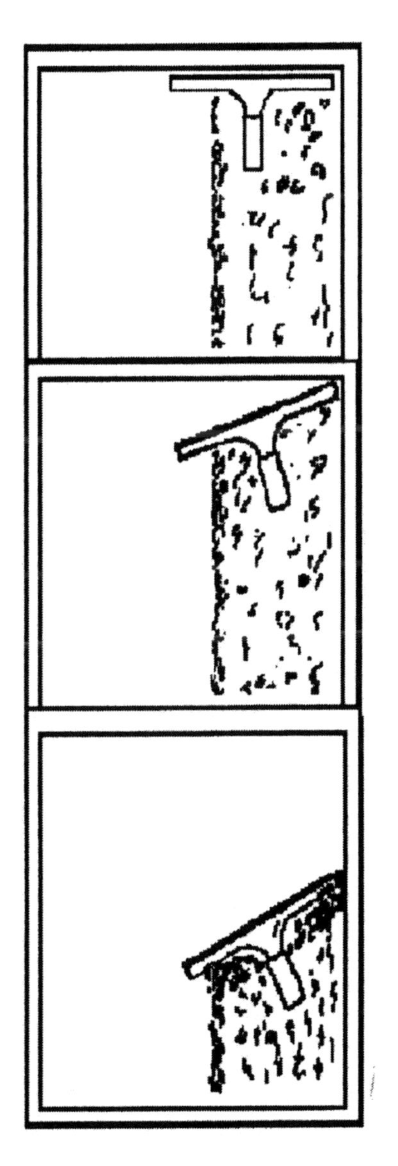

voltee su escurridor al mismo ángulo como lo hizo la primera vez para abajo del vidrio.

Mueva el escurridor para abajo de la ventana, manteniendo el ángulo igual por todo el camino hacia abajo.

El agua fluirá al lado más alto–al lado de ***la menor resistencia.***

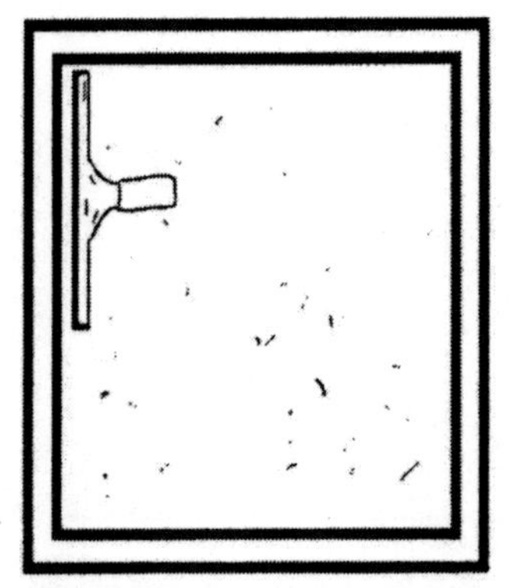

El mismo principio se aplica cuando se está jalando el escurridor a través del vidrio.

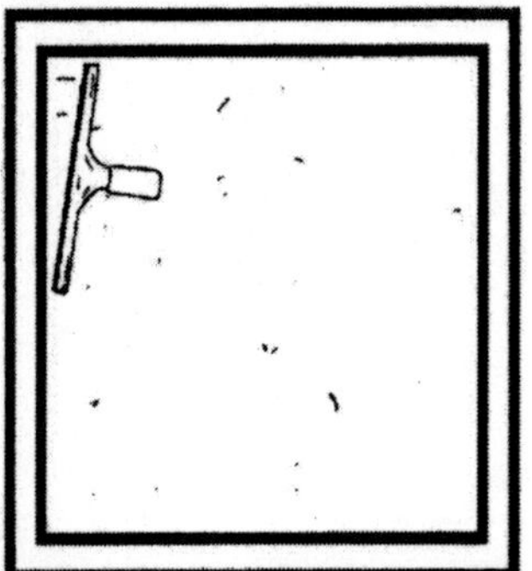

Ponga el escurridor a un ángulo delante de la mitad superior de la mitad inferior.

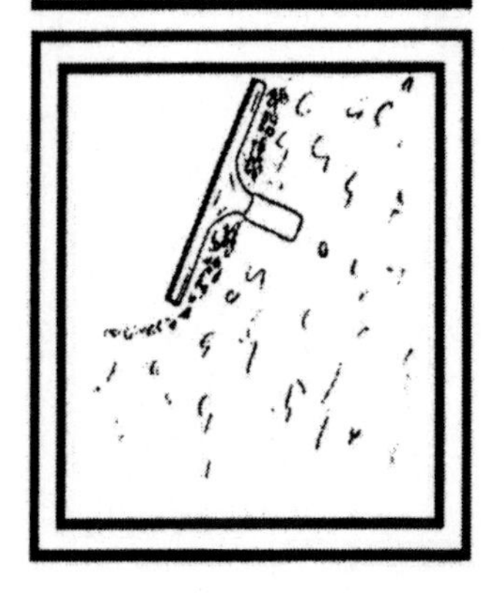

Como usted jala el escurridor recto a través del vidrio, el agua se acumula debajo de la ranura. El agua fluye para afuera del extremo inferior del lado del escurridor. Es el lado más fácil para salirse, el lado de *"la menor resistencia"*.

Cuando usted coloca el escurridor cerca del área que acaba de secar...

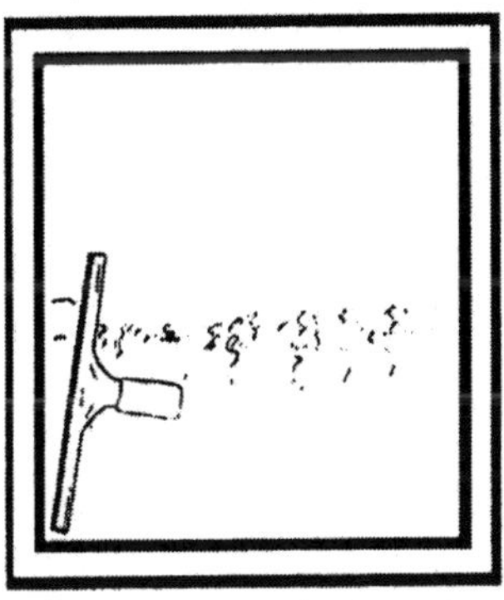

Haga el escurridor a un ángulo hacia la mitad superior de la mitad inferior.

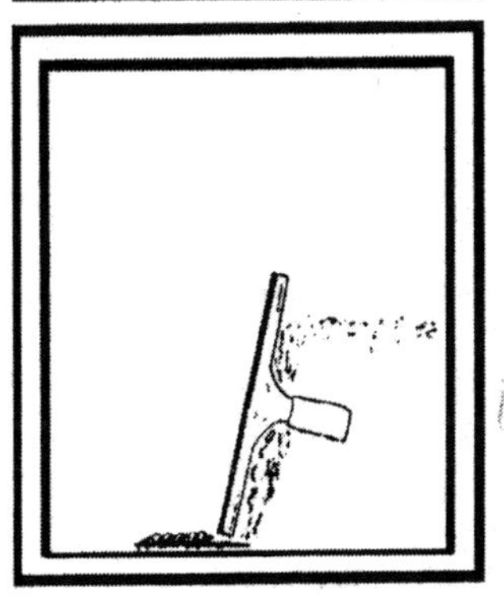

El agua continuará moviéndose hacia abajo del vidrio al lado de *"la menor resistencia"*.

Estas son las dos leyes básicas para la limpieza de ventanas.

A través del vidrio, la parte superior, conduce a la parte inferior.

Para abajo del vidrio, el lado seco del escurridor está más bajo que el otro lado.

A veces, su equipo tiene su propia mente.

LOS 10 MANDAMIENTOS DE LAS VENTANAS

Antes de que usted comience a limpiar las ventanas, hay unos mandamientos referente al uso del escurridor de goma. Estas reglas son verdades si usted está aprendiendo la técnica básica de la limpieza de ventanas de jalar horizontal o verticalmente, o la técnica más avanzada del movimiento continuo de limpieza de ventanas (abanicado).

Tome el tiempo para revisar todos los diez mandamientos. Para comprender mejor estos principios, entre menos rayas, menos tiempo se toma, más fácil será la limpieza de ventanas.

EL MANDAMIENTO UNO

Cambie el ule del escurridor con frecuencia.

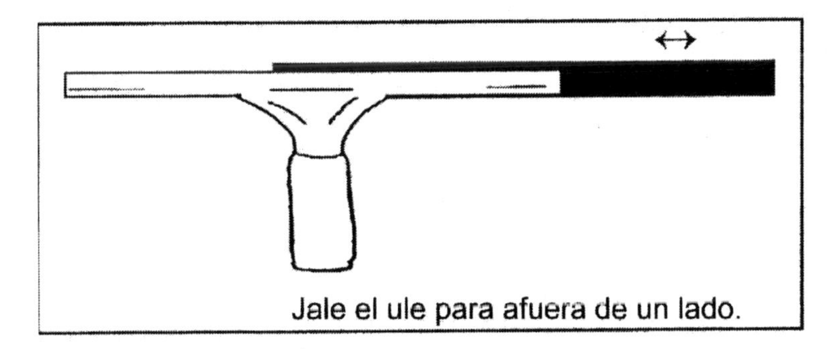

Jale el ule para afuera de un lado.

El ule desgastado del escurridor con el uso continuo dejará rayas en las ventanas, y le frustrará. Es necesario el cambio del ule cada 15 horas o menos. El ule profesional para limpiar ventanas se compra fácilmente con las referencias al final de este libro.

EL MANDAMIENTO DOS

Reláje su mano, la muñeca y el brazo.

Tomando el escurridor apretadamente mientras usted limpia las ventanas le dejará exhausto muy rápido.

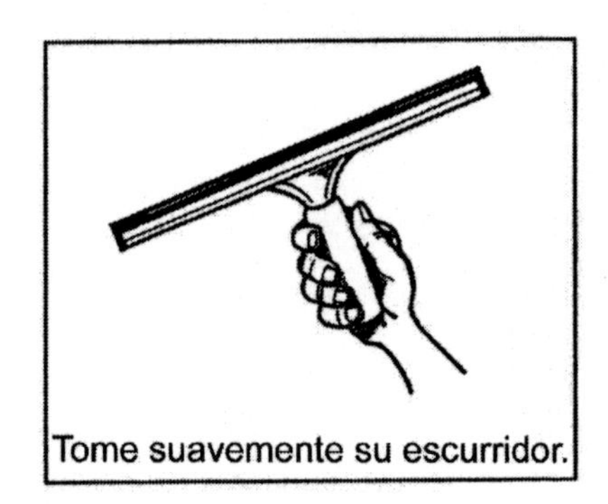

Tome suavemente su escurridor.

EL MANDAMIENTO TRES

Ponga el escurridor en un ángulo para canalizar el agua.

No se le olvide cubrir dos pulgadas.

Recuerde, el agua se mueve al lado de la menor resistencia.

EL MANDAMIENTO CUATRO

Ultilice sus dedos y su muñeca para ejecutar el movimiento del escurridor.

Si usted se fija en el movimiento de su brazo, su codo, su hombro o su cuerpo entero, está trabajando demasiado. La acción está todo dentro de su muñeca y sus dedos.

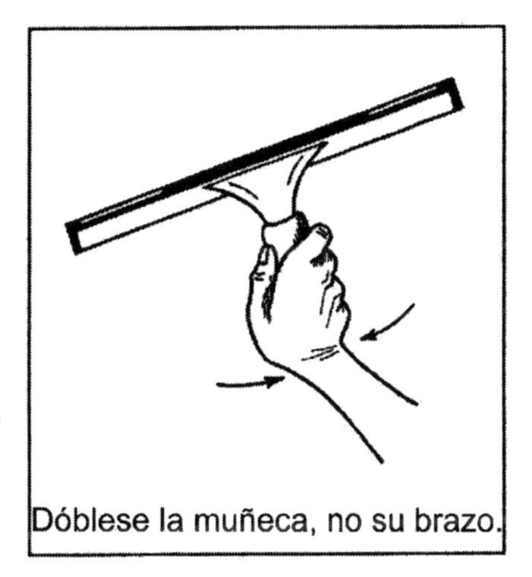

Dóblese la muñeca, no su brazo.

EL MANDAMIENTO CINCO

Comience el escurridor al borde de la ventana, no de en medio de la ventana.

Comience desde el borde. No de en medio.

EL MANDAMIENTO SEIS

Mueva el escurridor con una presión suave al vidrio.

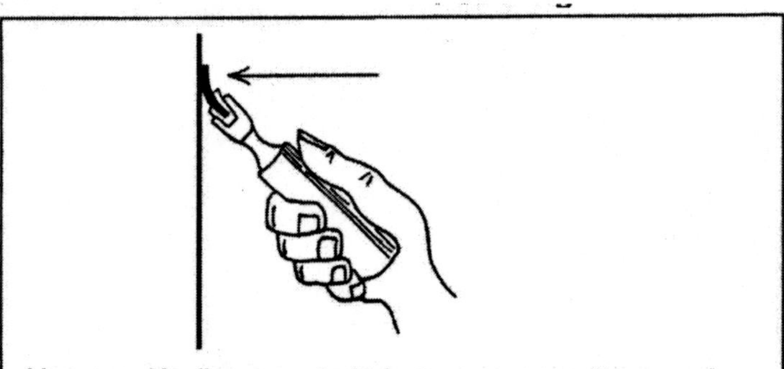

Una presión ligera es todo lo que se necesita cuando se está limpiando una ventana con un escurridor. Hacer cualquier otra cosa es trabajar demasiado.

RELAJESE – LIMPIAR VENTANAS ES DIVERTIDO

EL MANDAMIENTO SIETE

Limpie la ventana con el escurridor sin parar en medio.

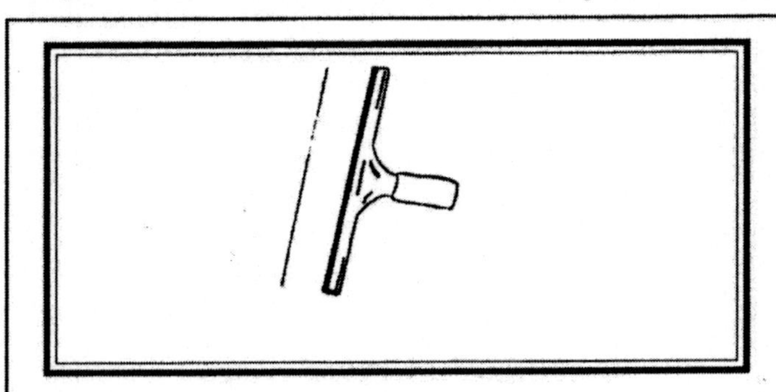

Comenzar, luego parar, y comenzar de nuevo, deja rayas en las ventanas. Comience en un borde, y pásese con un movimiento continuo al otro borde.

EL MANDAMIENTO OCHO

Cubrir por lo menos 2 pulgadas del vidrio seco.

El agua se acumula debajo de la ranura cuando usted mueve el escurridor. Aún con el escurridor al ángulo apropriado, el agua podría verterse por el lado equivocado a menos que usted cubra por lo menos 2 pulgadas del vidrio seco.

Cubra dos pulgadas.

EL MANDAMIENTO NUEVE

Coloque el mango del escurridor cerca del vidrio para que sus nudillos estén una pulgada lejos del vidrio.

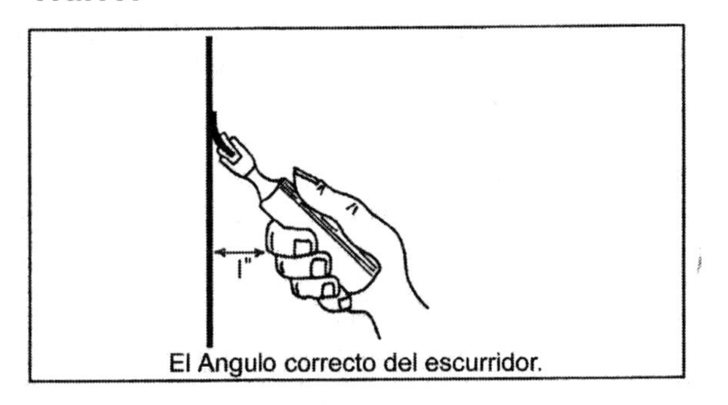

El Angulo correcto del escurridor.

EL MANDAMIENTO DIEZ

Limpie ocasionalmente el borde del ule con la esponja.

Límpiele con una esponja húmeda.

O, dele golpecitos suaves al escurridor, en el área de la ventana que esté todavía mojada.

Un par de golpecitos sobre el vidrio mojado es todo.

Usted necesita quitarle el exceso de agua, de tierra, de peluza u otra materia no deseada atrapada debajo del ule. Usted se sorprendería al ver la cantidad de rayas a causa de un pedacito de peluza o pelo atrapado en el ule.

¡Siga estas reglas sencillas y la limpieza de ventanas le será mucho más lucrativo y devertido!

LIMPIANDO LAS VENTANAS

Lavando la ventana correctamente antes de limpiar con el escurridor puede evitarle dolores de cabeza y frustración cuando usted limpie con el escurridor.

La mayoría de los profesionales utilizan jabón en líquido para lavar platos de la marca Joy o Dawn. No deja una película en la ventana, y deja un brillo agradable en el vidrio. Hay algunos jabones que son buenos, pero pruebe diferentes jabones para ver cuál le parece mejor. El jabón para lavar platos es la solución de limpieza más rápida, sencilla y segura y la que está disponible en su hogar.

Utilice justo lo necesario como normalmente, ulilizaría para lavar sus platos, suficiente para limpiar las ventanas, pero no tanto para dejar la espuma del jabón en su cubo de agua o el fregardero.

Su tienda local de surtido para limpieza profesional debe de tener numerosas soluciones para la limpieza de ventanas en qué escoger por si desea comprar uno más fuerte o concentrado.

Usted quiere un producto de limpieza que no sólo le ayude a quitar la grasa y la mugre, sino también que le ayude a deslizar el escurridor en el vidrio y conservar más el ule.

> "Nuestro patrón es tan paranoico que hace que vaciemos el jabón JOY en una botella sin etiqueta para que la gente no se entere que usamos el detergente para lavar los platos." – Un limpiador de ventanas.

He aquí algunos productos de limpieza preferidos por los profesionales que tal vez usted quiera añadir a su líquido de jabón y agua.

Amonio

Amonio ha sido el preferido de los hogares a través de años. No hay nada de malo con ello. Usted puede añadir una onza de amonio al jabón en su cubo de agua.

FDT (Fosfato de Trisodio)

Este polvo se le agrega a veces a las soluciones de limpieza para dar más potencia a la limpieza. Usted solamente agrega una onza de polvo a su jabón y agua. Pero, le maltran mucho sus manos.

IDEA

Alcohol Medicinal

Los limpiadores de ventanas a veces ponen alcohol medicinal en una botella de espray y lo utilizan para lavar las ventanas, especialmente las ventanas francesas. Trabaja muy bien en las manchas y huellas digitales, además no deja residuos en el vidrio ya que se evarpora en un corto tiempo.

Advertencia: Lo que usted decida usar, lea primero todas las indicaciones del fabricante cuidadosamente antes de usar sus productos. Cuidado de no inhalar los vapores.

"Un escurridor sin jabón, es como afeitarse sin agua."–Un limpiador de ventanas.

MOJANDO LAS VENTANAS

Usted puede mantener su agua en una variedad de recepientes. Si usted tiene solamente una o dos ventanas que limpiar, sólo enjuague su vara debajo de una llave de agua, y eche un poco de jabón para lavar platos a un lado de la vara. Usted también puede mojar un pedazo de trapo limpio debajo de una llave de agua, eche un poco de jabón para lavar platos sobre él, y frote la ventana. Si usted tiene más de una ventana para limpiar, usted podría utilizar lo siguiente para contener el agua:

El fregadero de cocina

Un cubo de agua

Una botella de espray

Una caja multiusos

Las herramientas que se usan para mojar las ventanas incluyen muchos utensilios de casa.

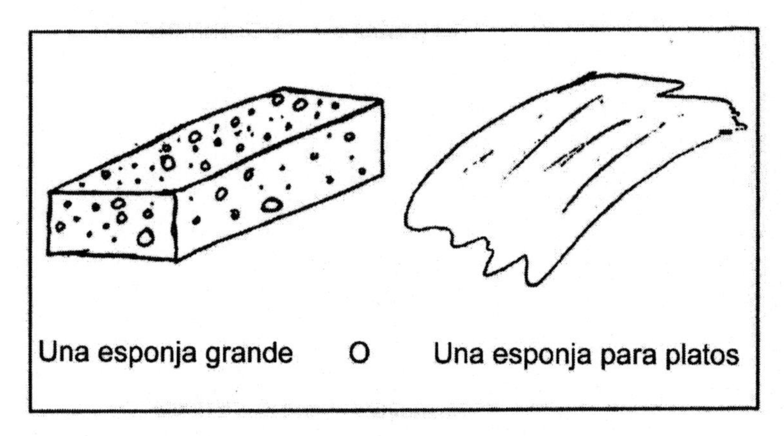

Una esponja grande O Una esponja para platos

Las herramientas que usted puede usar y que utilizan los profesionales incluyen:

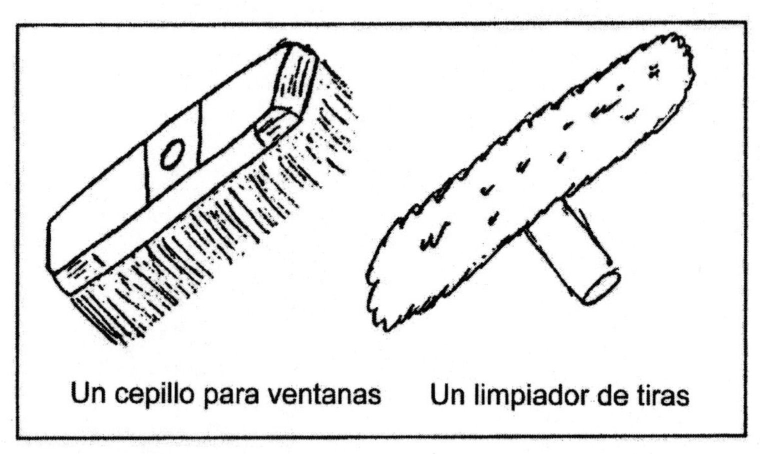

Un cepillo para ventanas Un limpiador de tiras

El limpiador de tiras (que se conoce comunmente como una vara) es la herramienta preferida de los limpiadores de ventanas.

Si usted seriamente quiere limpiar las ventanas una vara es indispensable. (Véase el apéndice del libro para más información sobre cómo ordenar uno hoy.)
Aquí tiene usted unas ideas para mojar las ventanas.

Eche el jabón en la esponja, el trapo o la vara en lugar del agua, luego enjuague la esponja, el trapo o la vara en el cubo de agua o debajo de una llave de agua unas cuantas veces.

Aplicando el jabón directamente sobre la herramienta de limpieza le dará la mayor concentración de acción de limpieza donde más se necesite.

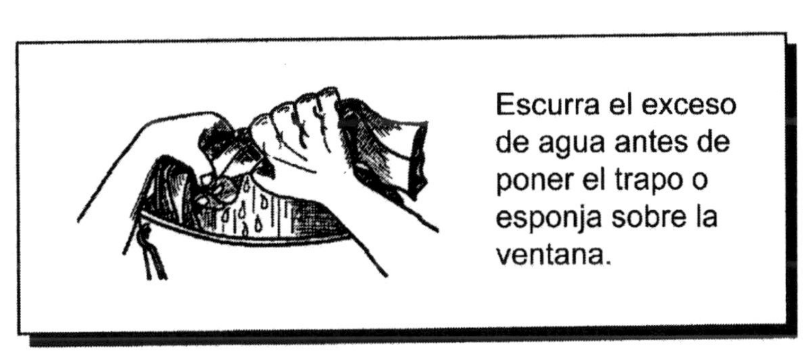

Escurra el exceso de agua antes de poner el trapo o esponja sobre la ventana.

La ventanas de adentro necesitan menos agua. Hay menos tierra y partículas arenosas en el interior, mayormente polvo. Además, entre menos agua se use, menos agua puede caer a la alfombra. Ulitilice poca agua y jabón como sea necesario. Ulitilice más agua cuando usted esté limpiando ventanas muy polvorientas y mugrientas (como las exteriores). O, si está limpiando vidrio que está caliente por la luz del sol.

Precaución: Evite las almohadillas abrasivas de limpieza. Estas pueden rayar las ventanas.

Cree un patrón de movimiento para mojar una ventana, uno con el cual usted se sienta confortable. Un patrón sencillo como el que está dibujado abajo.

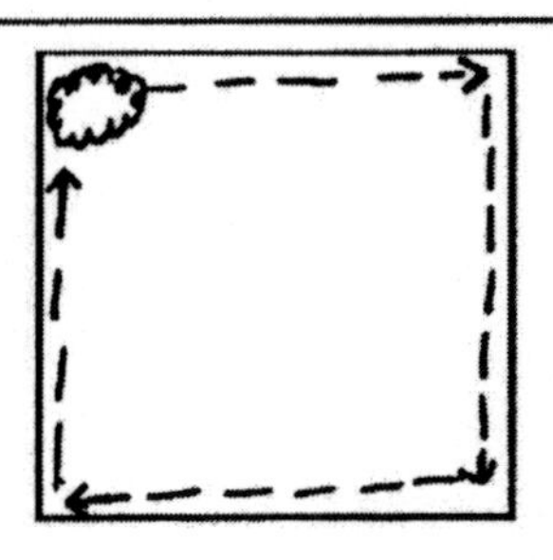

Primero, moje los bordes de la ventana apenas tocándolos.

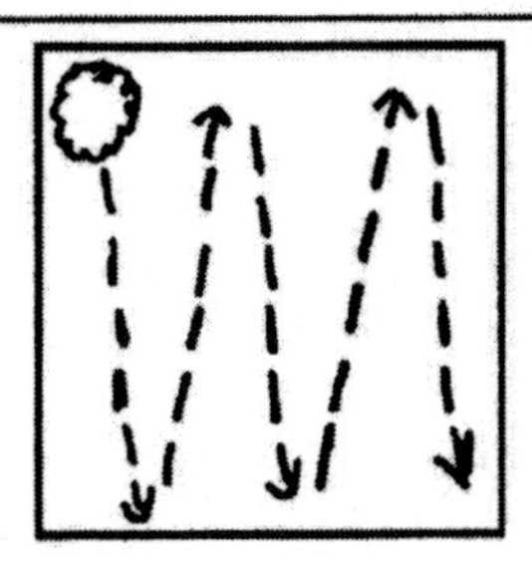

Segundo, moje la sección de en medio, mojándole para arriba y para abajo a través del vidrio.

Moje la ventana entera incluyendo las esquinas. La mayoría de la gente tiende a omitir las esquinas cuando está mojando las ventanas, causando manchas cuando se limpia con el escurridor.

Escribir un libro es como un embarazo; parece que nunca se va a terminar, especialmente durante esos meses de verano.

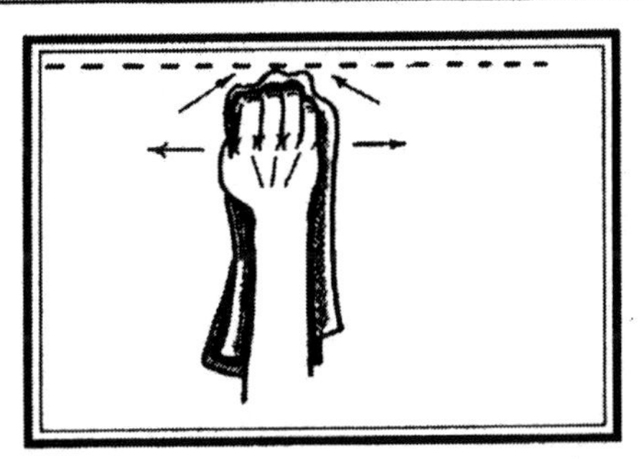

Los movimientos para arriba y para abajo que "golpean" a la moldura de encima empujan el agua debajo de la moldura que después gotean. (A veces a esto se le llama una "ventana llorona" porque parecen lágrimas.)

IDEA

Cuando esté lavando las ventanas calientes, utilice agua adicional o agua más fresca para ayudar a evitar que el agua se evapore más rápido.

Cuando esté lavando las ventanas muy mugrientas y polvorientas, utilice más agua para ayudar a limpiar más fácil la tierra de las ventanas.

Practique estos métodos de limpiar una ventana. Cada uno ayuda a evitar las rayas o las manchas después de usar el escurridor de goma. Son pasos importantes en la limpieza de ventanas.

¡Para la próxima, trae la escalera!

COMO UTILIZAR UN ESCURRIDOR DE GOMA

Ahora es el momento de la verdad. Esta es solamente la técnica básica de la limpieza de ventanas. Recuerde practicar en las ventanas que no tengan tintes. Sea amable consigo mismo. Tratamos de lograr ventanas sin rayas, pero nadie es perfecto, inclusive los limpiadores profesionales de ventanas no son perfectos. Si tiene ventanas con rayas cuando termine, refiérase a la sección "La Localización de Averías". Para minimizar las rayas, use su toalla para limpiar 1/2 pulgada a lo largo de arriba y los lados del borde de la superficie del vidrio antes de usar su escurridor.

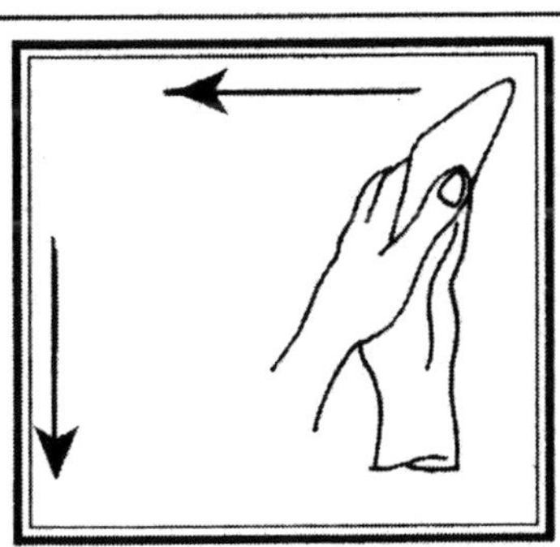

Limpie 1/2 pulgada de agua del borde antes de que usted limpie con su escurridor de goma.

IDEA

Mantenga su vara o esponja directamente debajo del escurridor para coger el agua que gotee del ule mientras que esté limpiando con su escurridor.

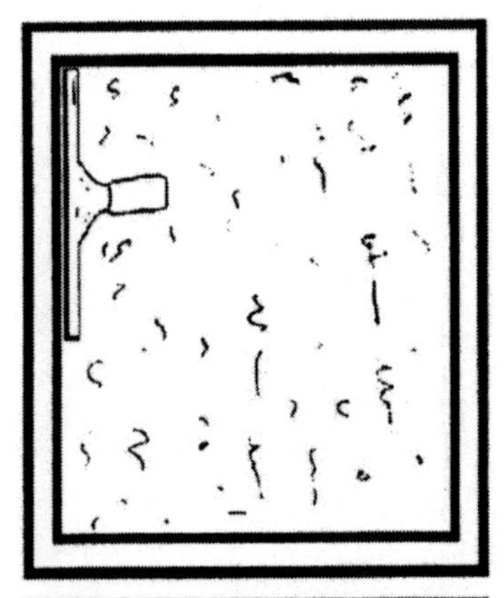

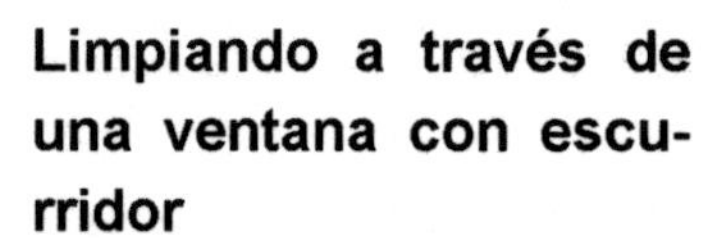

Limpiando a través de una ventana con escurridor

Si usted comienza en la esquina izquierda...

deslice con un solo movimiento sin parar. La parte superior del escurridor debe de inclinarse hacia adelante de la parte inferior.

Cuando usted alcance al otro lado, levante levemente con el mango y jale el escurridor al borde de la ventana. Para quitar el exceso de agua del ule, limpie el ule una o dos veces con su esponja, o, dele uno o dos golpecitos al ule sobre el vidrio mojado.

Entonces...

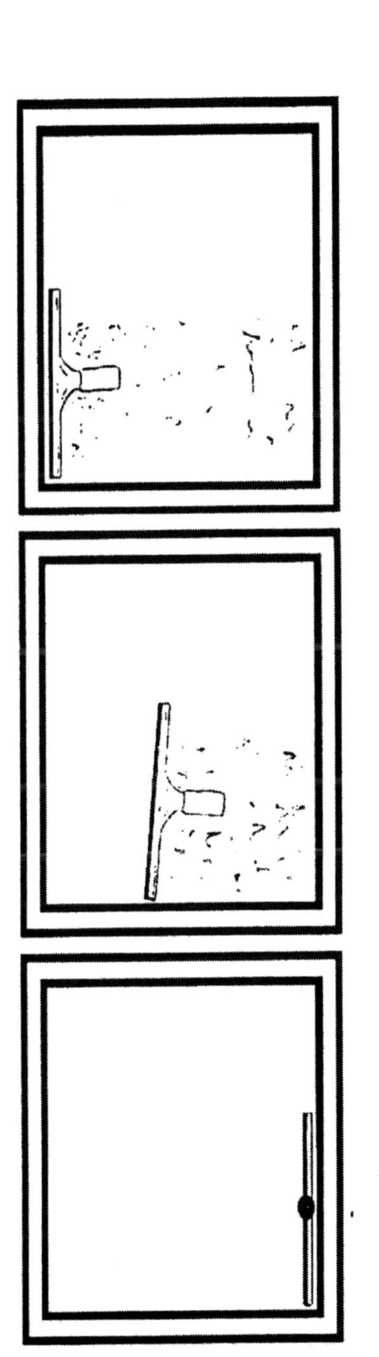

Comience desde el borde. Recuerde cubrir dos pulgadas del vidrio seco.

Deslice el escurridor a través de la ventana con la parte superior inclinada hacia adelante de la parte inferior.

Cuando usted alcance al otro lado, levante levemente el mango y jale el escurridor al borde de la ventana. Si aparecen las rayas, véase la sección "La Localización de Averías". Es posible que se haya quedado algo de agua en los lados. Use su trapo seco "sin pelusa" para limpiar los lados. Algunos trapos pueden dejar rayas y manchas, así que pruébelos.

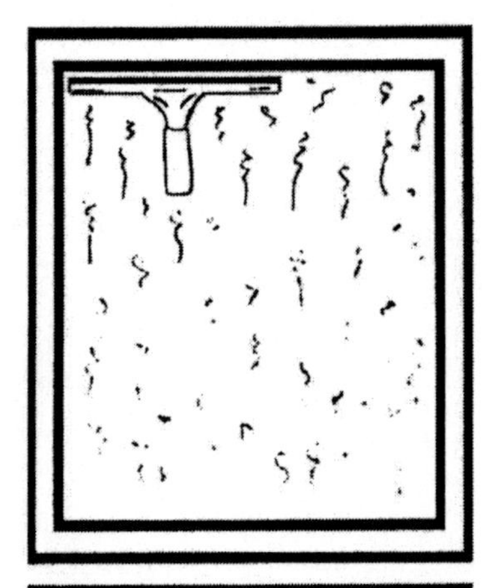

Limpiando para abajo de una ventana con escurridor

Si usted comienza en la esquina izquierda...

Ponga el escurridor a un ángulo para que el agua fluya hacia el lado mojado de la ventana.

Deslice con el escurridor, sin parar hacia la parte inferior y...

eleve el mango fuera de la ventana para que el ule del escurridor pueda alcanzar el fondo del vidrio.

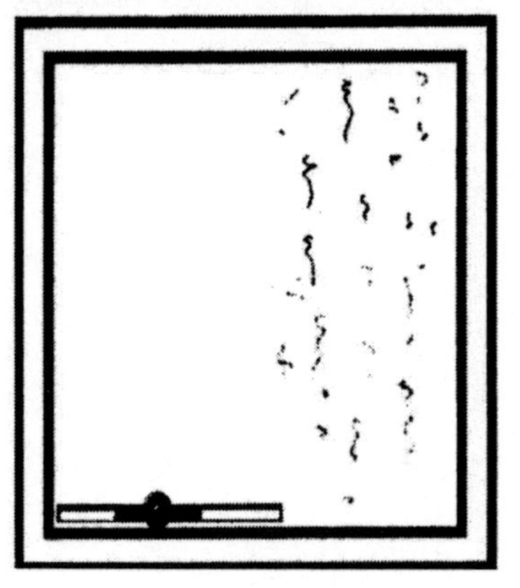

Quite el exceso de agua. **Parece tan sencillo porque así lo es.**

Quite el exceso de agua del ule con limpiar el ule una vez con su esponja, o con darle golpecitos al ule sobre el vidrio mojado.

Comience nuevamente arriba, cerca del vidrio seco que acaba de limpiar con el escurridor. Cubra dos pulgadas en el vidrio seco.

Deslice el escurridor para abajo de la ventana, haciendo un ángulo para que el agua fluya al lado de la menor resistencia hacia el lado mojado (aún así si usted está cerca de la moldura del otro lado.)

Cuando usted alcance el borde, levante un poco el mango y jale el escurridor hasta el fondo de la ventana.

Si las molduras o los bordes de las ventanas se le están dificultando para limpiar con el escurridor entonces limpie todo lo que pueda a través de la ventana y luego limpie con el escurridor con el último movimiento hacia abajo de la ventana. Es posible que haya una pequeña sección de la ventana que todavía esté mojada. Use su toalla seca sin pelusa o residuos para limpiarla. Recuerde practicar.

LAS CORNISAS SON IMPORTANTES

Tan importante como las ventanas limpias son las cornisas o los alféizares limpios. Después de limpiar una ventana con un escurridor, limpie las cornisas, y si es necesario, la pared inmediatamente. Si se deja agua sucia en la cornisa, tarde o temprano manchará la cornisa. Entonces, con una esponja, limpie esa cornisa AHORA.

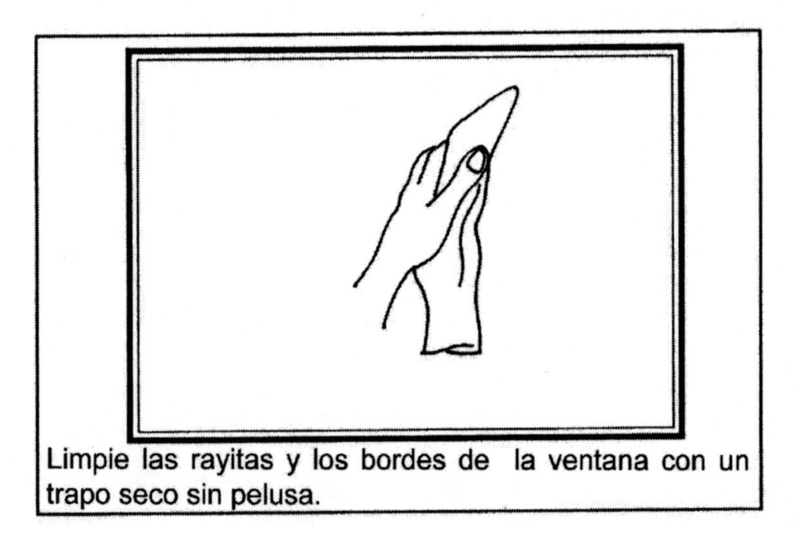

Limpie las rayitas y los bordes de la ventana con un trapo seco sin pelusa.

LA LOCALIZACION DE AVERIAS

Las líneas o las manchas de agua que se dejan en el vidrio después de limpiar se llaman rayas. RELAJESE, todo el mundo tiene problemas con las rayas, hasta los limpiadores profesionales de ventanas. La solución es saber qué causa las rayas en las ventanas. Hay muchas razones, y yo los he catalogado como una referencia fácil para ayudarle a evitar las rayas en un futuro.

EL PROBLEMA: Una línea de raya aparece cuando usted mueve el escurridor a través de la ventana.

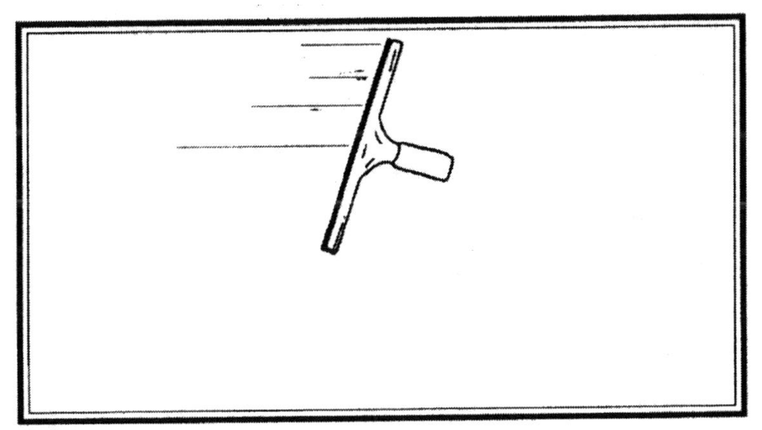

LA CAUSA POSIBLE	LA SOLUCION
La pelusa o tierra atapada entre el ule y la ventana impidiendo que se acuesta el ule contra la superficie.	Limpie el ule con su esponja o trapo. Haga esto a intervalos regulares.

LA CAUSA POSIBLE	LA SOLUCION
Hay una pequeña cortada en el ule.	Pase su dedo a lo largo del borde del ule. Busque con el dedo la cortada más pequeña. Si la encuentra, voltee el ule o reemplácelo.
El ule está viejo y desgastado.	Examine el borde delantero del ule. Si parece ser rayado y gastado, especialmente en las esquinas, es hora de reemplazarlo.
Cuando la ventana no está suficientemente mojada para la cantidad de tierra que está en el vidrio.	Si el agua en la ventana parece lodosa, las partículas arenosas pueden estar pegándose al ule cuando usted limpia con el escurridor. Utilice más agua para remojar la mugre de la ventana.
El agua se ha secado en el vidrio.	Busque partes del área del vidrio que estén medio secas. No se debe limpiar una ventana seca. Si rechina, mójela de nuevo.

LA CAUSA POSIBLE	LA SOLUCION
El ule que usted está usando no es de calidad profesional.	Las compañías Ettore, Sorbo, Unger y Pulex son las únicas que producen ules de calidad profesional.
El ule no está recto en la ranura. La ranura está chueca o doblada.	Véase el capítulo "El Almacenamiento y Manejo".
El mango del escurridor está muy retirado de la ventana.	Si sus nudillos están a más de una pulgada del vidrio, están muy retirados. Acerque el mango más a la ventana.
La acumulación de agua jabonosa detrás del ule y la ranura.	Inspeccione al dorso de la ranura y el ule para ver si hay exceso de agua jabonosa. Limpie cualquier exceso.
El exceso de jabón y espuma en el agua.	Mire en su cubo de agua. Si hay una pulgada de agua jabonosa, llénelo con agua limpia.
Las molduras de las ventanas están muy mojadas.	Si tiene rayas de agua al borde más de dos pulgadas, las molduras necesitan secarse.

EL PROBLEMA: Una raya aparece al extremo del escurridor.

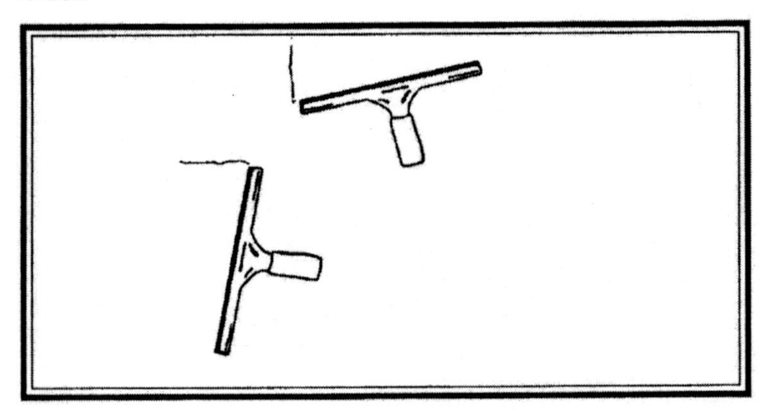

LA CAUSA POSIBLE	LA SOLUCION
Demasiada agua en el ule.	Si usted ha limpiado con el escurridor con uno o dos movimientos para arriba o a través del vidrio, usted debe limpiar el escurridor una vez con la esponja o el trapo. Mejor aún, golpee solamente el ule sobre la parte mojada del vidrio para sacudir el exceso de agua; es más rápido.
La esquina del ule está salida de la ranura.	Examine el borde delantero del ule. Si está elevado un poquito, puede causar rayas. Revise el ule de la ranura.

LA CAUSA POSIBLE	LA SOLUCION
El escurridor no está ladeado lo suficientemente para canalizar el agua correctamente.	El escurridor necesita estar en ángulo para canalizar el agua fuera de la ventana correctamente. (Véase "Como Funcionan los Escurridores" en la página 19.)
Hay demasiada agua que se escurre y no suficiente vidrio seco al extremo opuesto cuando usted limpia con el escurridor.	Mientras que usted limpie con el escurridor, fíjese en el área que está limpiando. Si ve mucha agua a lo largo del ule, entonces es mucho para que se limpie con el escurridor. Excepto para el primer movimiento de limpieza sobre el vidrio, todos los movimientos diagonales o verticales del escurridor por la ventana deben de cubrir apróximadamente dos pulgadas de vidrio seco. (Véase el Mandamiento Ocho "cubrir por lo menos 2 pulgadas de vidrio seco".)

EL PROBLEMA: Las rayas cortas y largas se forman cuando se comienza con el escurridor al borde de la ventana.

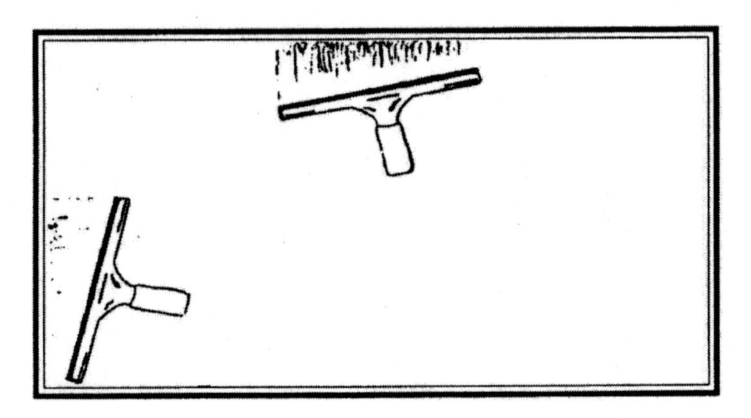

LA CAUSA POSIBLE	LA SOLUCION
El borde de la moldura y el vidrio de la ventana están muy mojados.	El exceso de agua al borde de la ventana no deja que se utilice el escurridor sin ensuciarlo. Use un trapo seco o una esponja húmeda y limpie el borde de la ventana.
El ule del escurridor tiene demasiada agua encima.	Si usted ha limpiado con el escurridor con dos movimientos verticales y horizontales a través de vidrio, usted debe limpiar el escurridor una vez con la esponja. Mejor aún, dele golpecitos al ule contra el vidrio mojado, es más fácil.

EL PROBLEMA: Las rayas diagonales aparece cerca de los lados o de en medio de la ventana.

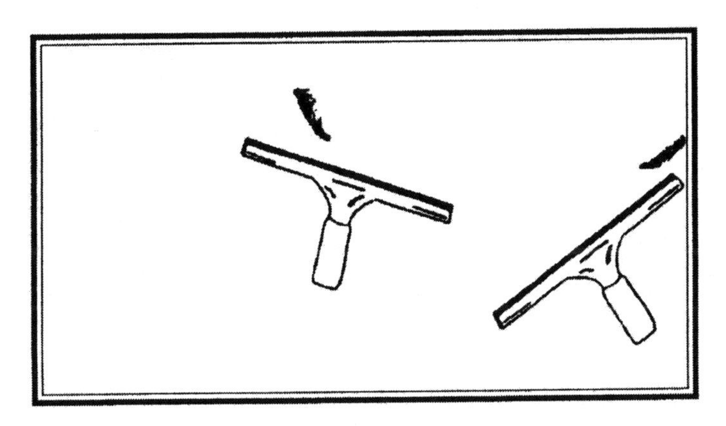

LA CAUSA POSIBLE	LA SOLUCION
La ranura del escurridor golpeó la modura.	Si un extremo del escurridor golpea la moldura muy fuerte al terminar un movimiento, se levanta el ule resultando un goteo de agua sobre el vidrio seco.
Mientras voltea el escurridor sobre la ventana, usted levantó el lado más elevado de la ranura lo suficiente para gotear agua debajo del ule.	Cuando esté utilizando la técnica de "abanicar", cerciórece que mantenga la presión a la par en los dos lados del mango.

EL PROBLEMA: Rayas de agua que parecen "puntas de flechas" aparecen cerca de la terminación del movimiento.

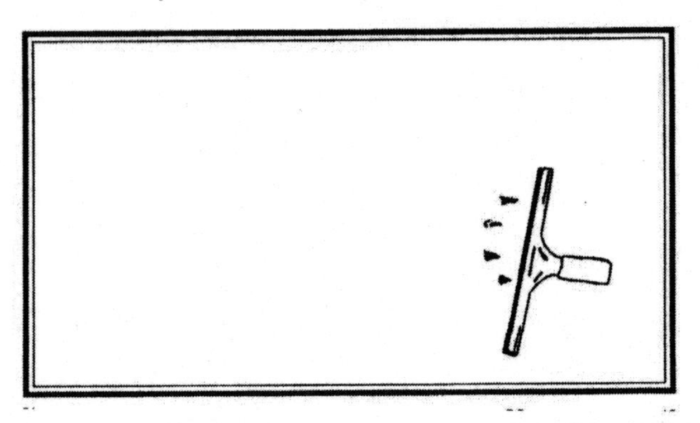

LA CAUSA POSIBLE	LA SOLUCION
Usted tiene unas ventanas muy polvosas que requieren que utilice más agua.	El exceso de partículas arenosas en el vidrio impiden que el ule se acueste plano. Use más agua, y moje la ventana nuevamente. Limpie con agua toda la tierra como le sea posible.
El ule está desgastado y necesita reemplazarlo.	Fíjese en el borde delantero del ule. Si parece rayado y desgastado, especialmente en las esquinas, es hora de reemplazarlo.

EL PROBLEMA: Rayas de agua gruesas que se bambolean o rayas chuecas en forma de una V.

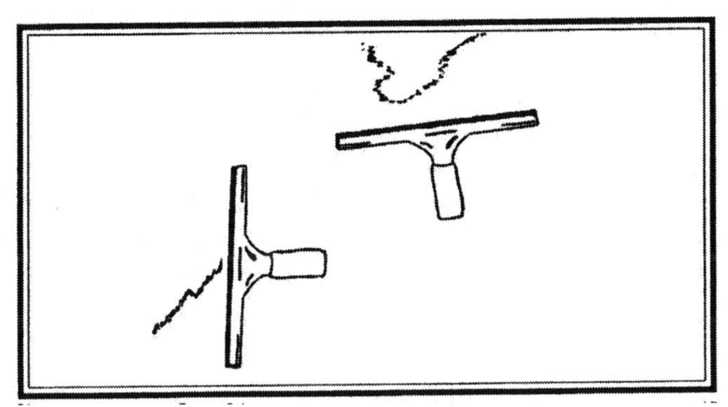

LA CAUSA POSIBLE

Presionar el escurridor más fuerte de un lado que del otro.

LA SOLUCION

La presión del escurridor debe de estar igual por los dos lados del mango. Muchos torcejones de su muñeca pueden causar más presión sobre un lado de la ranura, elevando el otro lado fuera del vidrio. Ponga la misma presión sobre los dos lados cuando usted desliza el escurridor sobre la ventana.

LA CAUSA POSIBLE	LA SOLUCION
El agua se ha secado antes de que se limpie con el escurridor.	Cerciórese de que el vidrio esté mojado. Usted no puede limpiar con el escurridor un vidrio seco.
El ángulo del escurridor se hace muy agudo.	Mantenga sus nudillos como una pulgada fuera de la ventana hasta la terminación del movimiento. Alejando su mano de la ventana disminuye el área del vidrio que se está limpiando con el ule.
No hay presión sobre el vidrio con el escurridor.	¿Está usted alejando el escurridor del vidrio cuando va deslizándose a través de la ventana? Mantenga igualada la presión a lo largo del movimiento.

EL PROBLEMA: La solución de agua sólo se embarra sobre la ventana.

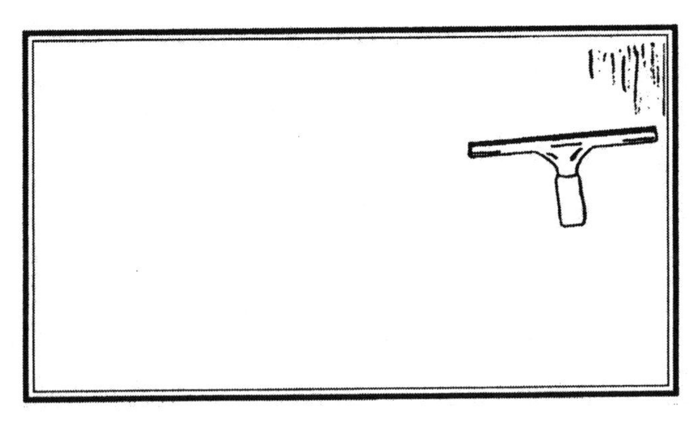

LA CAUSA POSIBLE

El agua se ha secado antes de que usted limpie con el escurridor.

LA SOLUCION

Usted no puede limpiar con el escurridor una ventana seca. Si la ventana se está secando, moje nuevamente el área; comience de nuevo.

LA CAUSA POSIBLE

La superficie de la ventana entera no estaba lavada correctamente.

LA SOLUCION

La gente tiende a olvidar el mojar las esquinas o una gran parte del vidrio a lo largo de encima de una ventana. Cuando usted limpie con el escurridor, el área se embarra con tierra por la poca cantidad de agua que hay en el ule. Limpie toda la ventana.

EL PROBLEMA: Una raya de agua aparece a lo largo del escurridor.

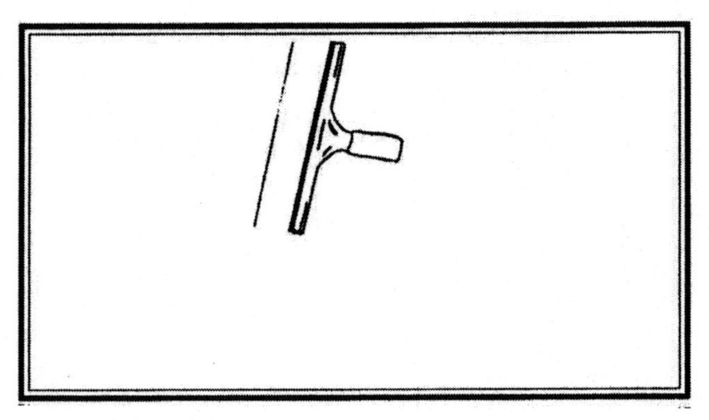

LA CAUSA POSIBLE	LA SOLUCION
Usted ha comenzado a limpiar con el escurridor en medio de la ventana.	Usted debe de comenzar con el escurridor de uno de los lados de la ventana. Si usted comienza desde en medio del vidrio, se formará una línea al comienzo.
Usted está vacilando con el escurridor en medio del movimiento.	Si usted comienza con el escurridor, y se para, y luego continúa con el movimiento, usted dejará una línea del largo de su escurridor. Usted puede ir más despacio, sólo sino puede parar.

EL PROBLEMA: Una serie de rayas que parecen barras aparecen por un lado del escurridor cuando limpia.

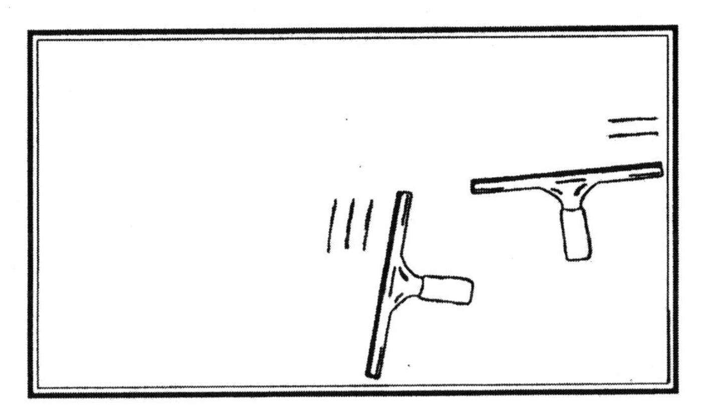

LA CAUSA POSIBLE	LA SOLUCION
Mucho vidrio seco cuando usted pasa el escurridor causando que el escurridor vibre levemente.	Usted debe limpiar con el escurridor dos pulgadas de ventana seca cada vez que pase después de la primera vez. Cuatro pulgadas o más de vidrio seco de lo largo de la ranura del escurridor y con el ule en el vidrio seco producirá una fricción causando vibraciones fuera de la ventana.
El escurridor y la moldura de la ventana están frotándose causando una fricción.	Toque las molduras con el escurridor. No las presione.

EL PROBLEMA: El agua escurre de arriba para abajo de la moldura. Se llama una "ventana llorona"; parecen lágrimas.

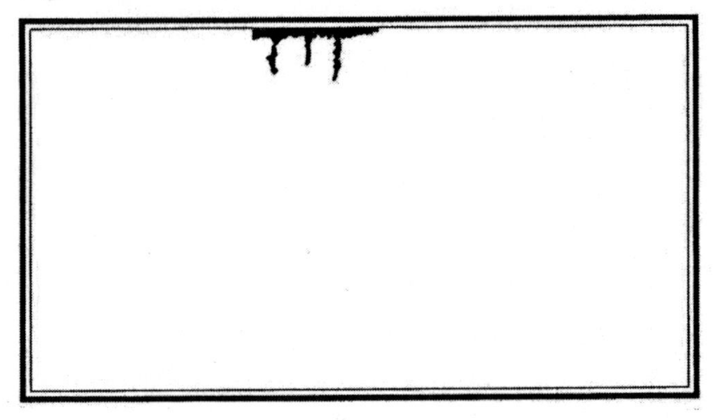

LA CAUSA POSIBLE

Se empujó el agua debajo de la moldura cuando se lavó la ventana.

LA SOLUCION

Cuando usted empuja un trapo, esponja o vara hacia arriba y contra la moldura de una ventana, usted está metiendo agua a la moldura. Esta se quedará allí hasta que la gravedad la saque para abajo de la ventana. Lave la moldura de arriba utilizando un movimiento de lado a lado, apenas tocando la moldura.

LAS VENTANAS DE DIFICIL ALCANCE

Muchas ventanas del primer piso están muy altas o muy elevadas o tienen muchos obstáculos tales como matas o sofás en el camino.

Por estos motivos, debemos utilizar un palo o escalera para alcanzar lo inalcanzable. También utilizamos un palo para alcanzar las ventanas a un lado de nosotros.

Todos los mandamientos de ventanas para la limpieza de las ventanas altas son iguales a los de las ventanas bajas. Hay otra regla adicional referente al trabajo con palo, y es la más importante. Cuando no esté usándolo, apóyelo parado contra una pared, fuera del camino. Nunca lo acueste en el suelo. Alguien puede tropezarse.

Nunca deje su palo en el piso.

EL PALO

La mayoría de limpieza de ventanas altas del primer piso debe hacerse con la ayuda de un palo ordinario, más o menos del tamaño de un palo de escoba.

Muy Grueso

Si el palo que usted tiene es muy grueso para su escurridor, tállele una pequeña cantidad de madera de un extremo.

Muy delagado

Si el palo de madera que usted tiene está muy delgado causando que el escurridor o la vara no encaje bien o se caiga, entonces envuelva una cinta ancha alrededor del palo. La cinta de electricista es buena. Use suficiente cinta para envolverlo una vez alrededor del extremo del palo o hasta que el escurridor se encaje cómodamente.

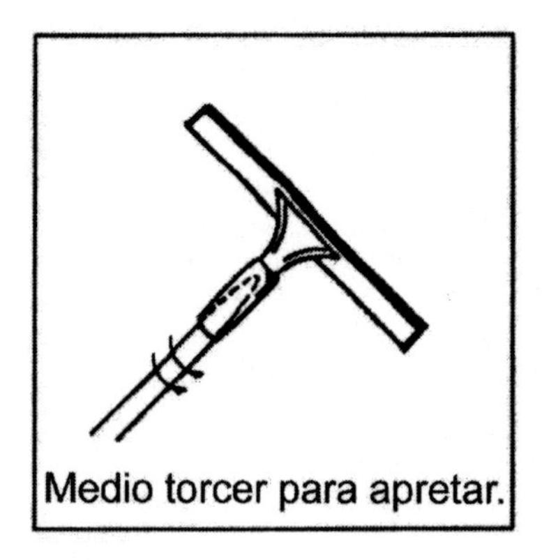
Medio torcer para apretar.

Necesita medio torcerlo para encajarlo.

LOS PALOS DE EXTENSION

Usted también puede comprar un palo de extensión más sofisticado con secciones ajustables que se acomoden a diferentes longitudes. Estos palos están hechos de longitudes desde dos pies hasta 45. Los palos de más de 12 pies de longitud pueden llegar a ser inmanejables para el dueño de casa. Aunque con práctica usted puede hacerse un experto limpiador profesional de ventanas.

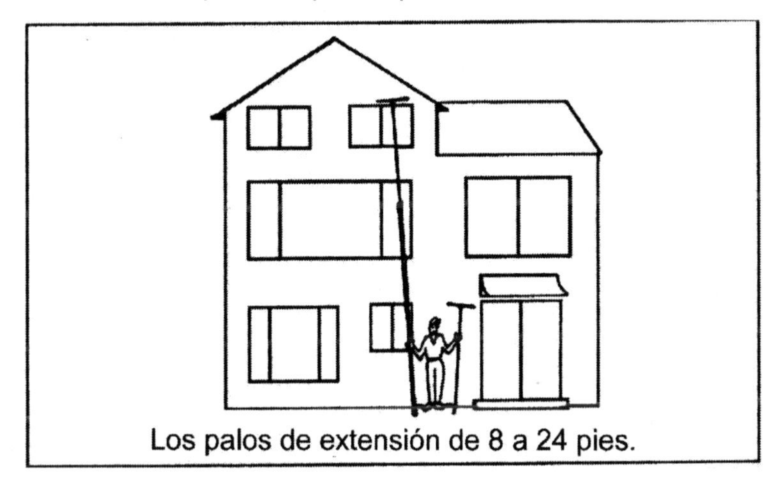

Los palos de extensión de 8 a 24 pies.

Si acaso su palo de extensión tiene una saliente que parece un tornillo y su escurridor sólo da vueltas encima, compre uno de madera con cabeza afilada que se arme en el palo para que se encaje al escurridor.

Cabeza afilada de madera

EL LIMPIADOR DE TIRAS

La mejor herramienta y más común para mojar las ventanas que están fuera de su alcance, es el limpiador de tiras (stripwasher), se llama comunmente "la vara". Yo recomiendo que usted compre uno si usted tiene ventanas que están fuera de su alcance. Una vara hará que el trabajo de mojar la ventana le más fácil. (Véase el apéndice para comprar uno.)

Una vara también se encajará en la punta de un palo de escoba o un palo de extensión. Se puede encajar flojo o apretado en un palo de extensión.

Los errores más comunes de los principiantes son de:

1) No mojar la ventana completa, especialmente de encima. Se les escapan una o dos pulgadas de la porción de encima de la ventana para cuando se limpia con el escurridor arrastrando la tierra para abajo de la ventana y embarrándola.
2) Mojar el área de la ventana demasiado de una sola vez, causando la evaporación antes de que se limpie con el escurridor.
3) Esperar mucho antes de que se limpie con el escurridor una ventana que se está secando.

Ya que usted sabe qué cuidar, he aquí unos consejos para ayudarle a trabajar más eficiente con el palo.

1) Usar más agua en las ventanas exteriores. Usualmente ellas están más polvorientas y requieren más agua para ayudar a limpiar todo ese exceso de polvo y tierra.
2) Si usted está usando un palo de extensión con secciones múltiples, primero extienda las secciones inferiores. La sección más cerca al escurridor se mantendrá más rígida, y le dará más presión a usted para frotar la ventana.
3) No lavar las ventanas que están más altas con el sol directo o durante los días con demasiado viento. Se puede hacer, pero en esta etapa, se le va a dificultar.

MOJANDO LA VENTANA

Cuando esté mojando una ventana alta, utilice los mismos principios de mojar como cuando está baja. Moje la ventana comenzando de arriba. Mueva la vara para adelante y para atrás.

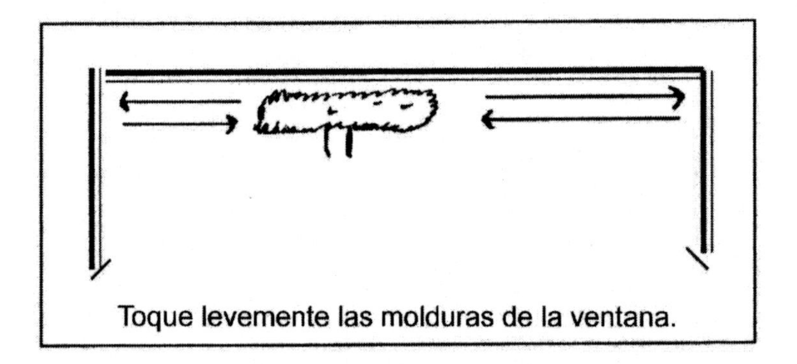

Toque levemente las molduras de la ventana.

Ahora, mueva la vara para arriba y para abajo cuando va moviéndose a través de la ventana no más bajo que sus hombros.

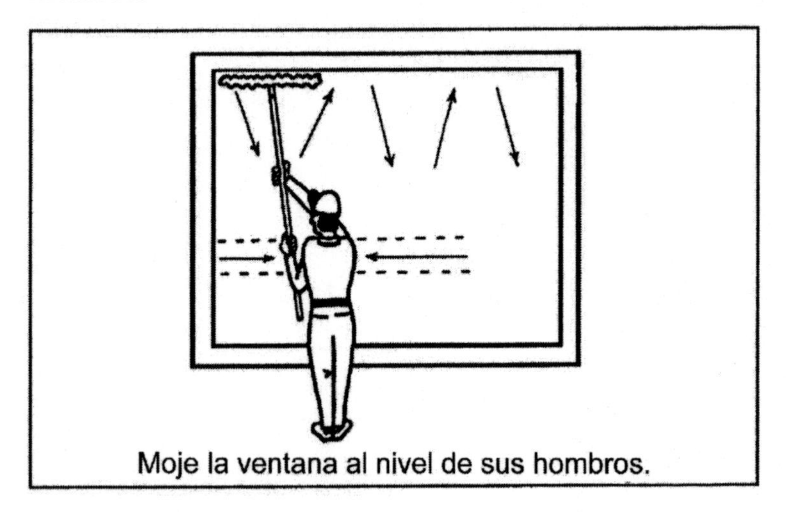

Moje la ventana al nivel de sus hombros.

Cuando esté lavando una ventana, todo el ejercicio debe de estar en los movimientos de los brazos. Su espalda no debe moverse para nada. Usted está lavando la mitad de arriba primero.

LIMPIANDO LA VENTANA CON EL ESCURRIDOR

Cuando se limpia una ventana alta con el escurridor, se usa la misma técnica aprendida para limpiar una ventana baja.

Limpie con el escurridor hasta el nivel de sus hombros y recuerde de colocar en ángulo el escurridor para que el agua fluya hacia el lado mojado.

Quite el exceso de agua en el escurridor con:

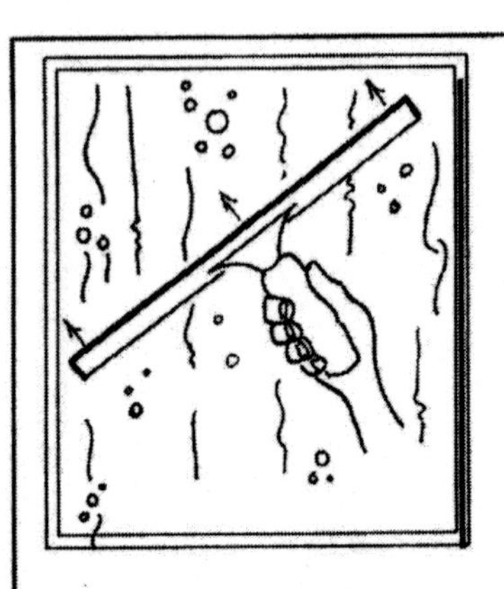

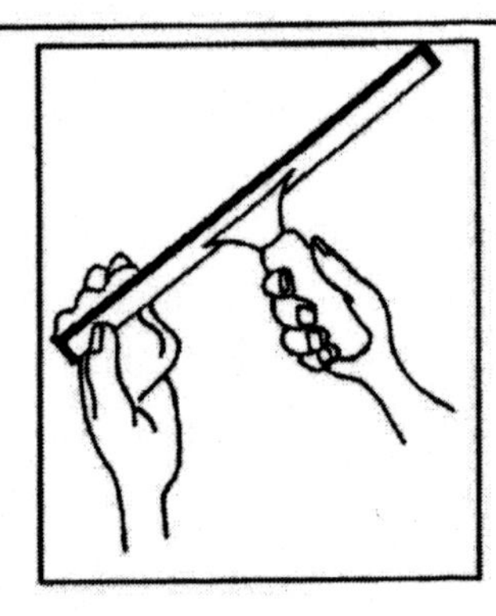

darle golpecitos leve-
mente con el escurridor
sobre el lado mojado
de la ventana.

o

limpiar el escurridor
con un trapo o una
esponja.

Cuando usted termine la sección superior de la ventana, quite el escurridor del palo. Frote la sección inferior cerciorándose que usted alcance las esquinas.

Comience desde el lado de la ventana y recuerde cubrir dos pulgadas de vidrio seco.

Si usted se da cuenta de rayas de agua que se quedan en el vidrio, revise la sección "La Localización de Averías" para ayudarle.

El borde superior puede tener agua que no haya limpiado el escurridor, y estas manchas de agua pueden comenzar a gotearse para abajo.

Coloque un trapo limpio sin pelusas a un extremo de su palo y limpie el borde de arriba. Entre más se demore para limpiar el border superior, hay más posibilidad de que se gotee el agua.

El trabajo con palo, para la limpieza normal de ventanas, requiere la práctica. Puede ser frustrante a veces. Pero, con persistencia y práctica usted puede hacerse un professional.

¡Al Ataque!

“ALBANICANDO” CON UN ESCURRIDOR

Abanicando la ventana con el escurridor implica limpiar el vidrio sin levantar el escurridor fuera del vidrio, así limpiando la ventana entera con el escurridor con un solo movimiento. A veces esto se llama el “remolino”, el estilo de la “S” o “culebreándolo”. De hecho, muchos limpiadores de ventanas no consideran que alguien sea un limpiador de ventanas a menos que puede “abanicar” una ventana. (Esas son puras tonterías, así es que, no se preocupe.)

Los dos principios básicos de la limpieza de las ventanas todavía trabajan cuando “abanicamos” el vidrio. Nuestras manos y muñecas hacen la mayor parte del trabajo.

El patrón es moverse para adelante y para atrás el vidrio, moviendo el agua para abajo el vidrio como va limpiando.

El secreto es de seguir moviendo con usar sus dedos y sus muñecas para torcer el escurridor alrededor del vidrio.

No es un movimiento tieso. La tendencia de la mayoría de la gente es la de cerrar fuertemente su mano alrededor del escurridor y usar su codo y su hombro para dar vueltas al escurridor. Si usted se encuentra moviéndose el codo y el hombro mientras que esté limpiando con el escurridor, entonces está trabajando demasiado.

Hay una mejor manera–solo es cuestión de la muñeca y los dedos.

PRACTICANDO LA TECNICA DE ABANICAR

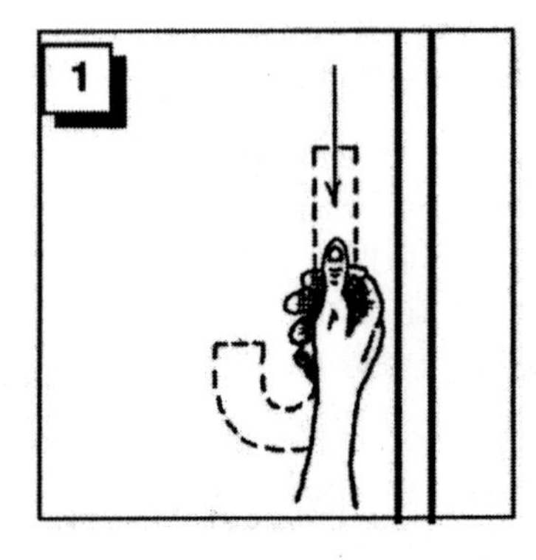

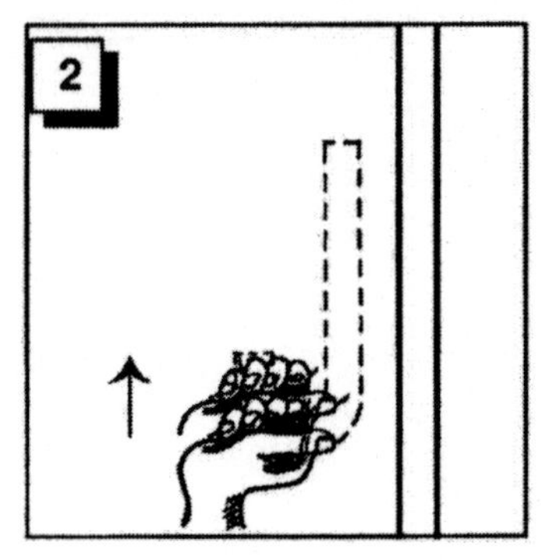

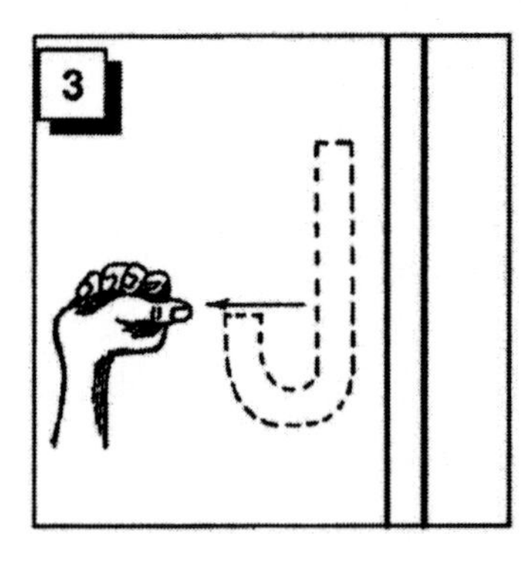

La parte más difícil acerca de abanicar es dar la vuelta a cuaquier lado de la ventana. Para asegurar que usted de la vuelta correctamente, práctique dándo vueltas sin el escurridor. La vuelta es parecida a escribir la letra "J" con sus nudillos al lado derecho de la ventana y una "J" para atrás al lado izquierdo de la ventana. Presione sus nudillos levemente contra una ventana con su palma frente al centro de la ventana.

1) Deslice sus nudillos para abajo de la ventana como 12 pulgadas.

2) Cuando va dando la vuelta al terminar la "J", doble su muñeca para que la palma de su mano mire hacia arriba.

3) Cuando usted haya terminado con el boceto de la letra "J", mueva sus nudillos a través del vidrio al borde de la ventana del

otro lado. El último paso es el de comenzar al otro lado. Deslícese a través de la ventana hasta que sus nudillos toquen la moldura de la ventana al otro lado.

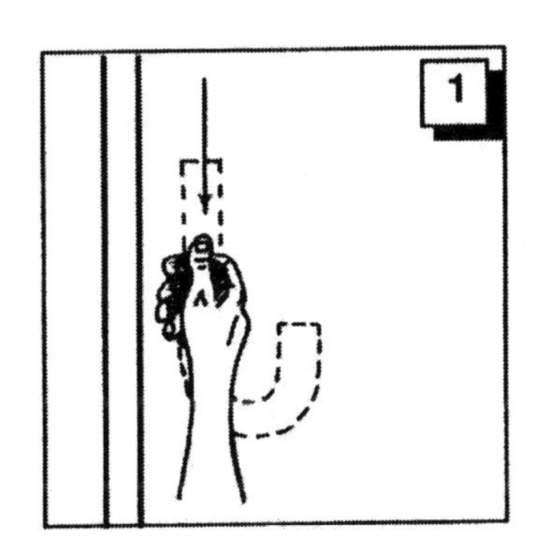

Doble su muñeca para que la palma de su mano mire hacia el borde de la ventana.

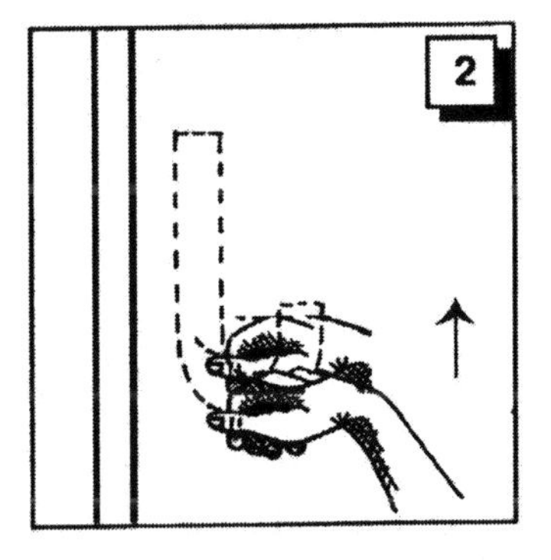

1) Comience a trazar la letra "J" al revés en el vidrio.

2) Cuando usted da la vuelta al terminar la letra "J", doble su muñeca hasta que la palma de su mano mire hacia el suelo.

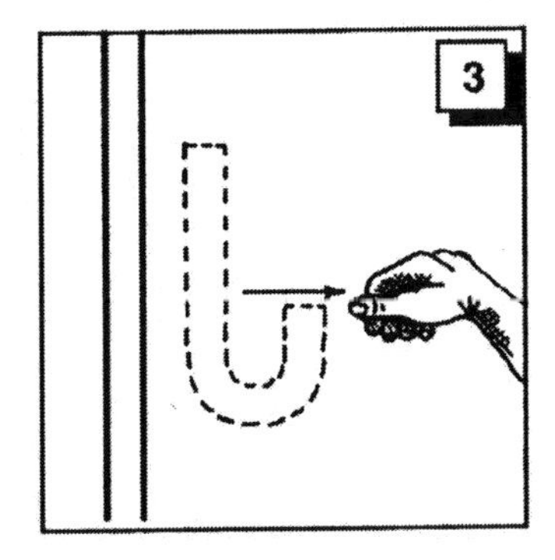

3) Cuando usted haya terminado el boceto, jale sus nudillos nuevamente para atrás del vidrio del otro lado y trace una letra "J" en ese mismo lado otra vez.

El secreto es de moverse suavemente sin parar.

LOS MOVIMIENTOS DE ABANICAR UNA VENTANA

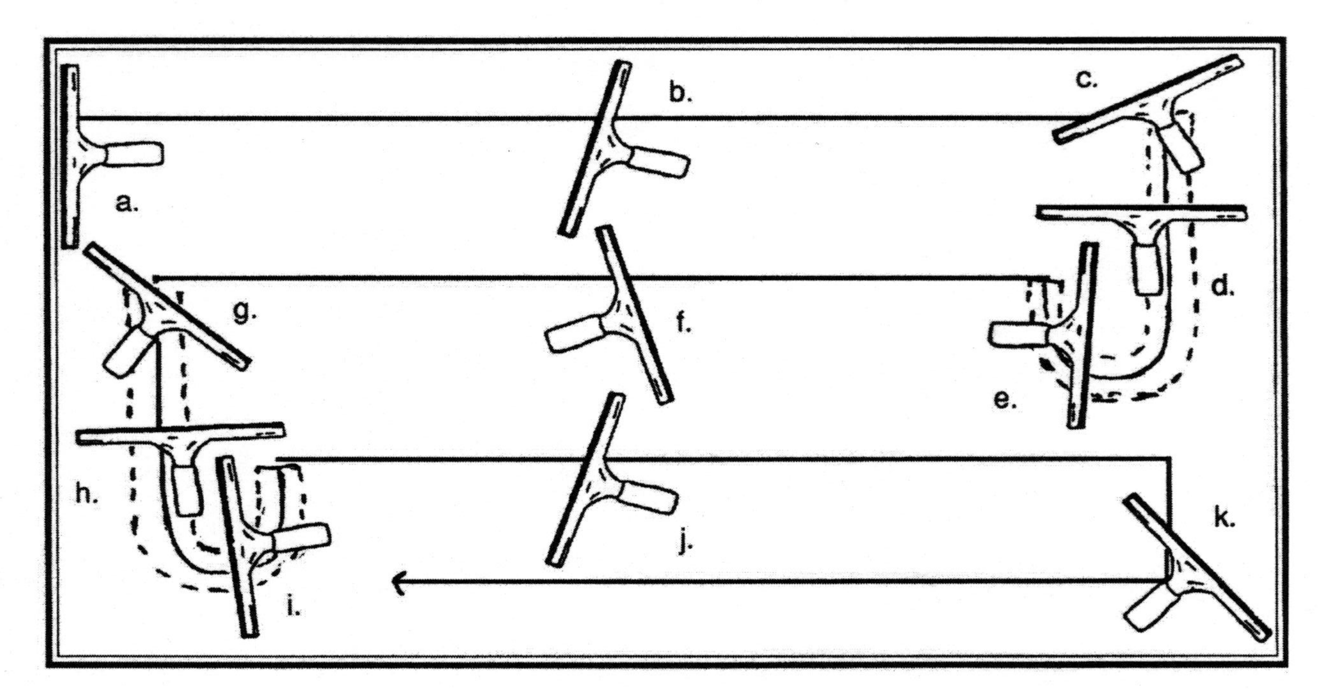

ABANICANDO LA VENTANA

Estas maniobras del escurridor sobre el vidrio son un solo movimiento para que limpie la ventana entera. Presione levemente el escurridor sobre la ventana. Le ayudará a dar mejor las vueltas. Utilice la muñeca y los dedos para torcer el escurridor alrededor del vidrio, no su brazo y hombro.

Si usted estuviera manejando un automóvil y diera a la derecha a la entrada de su estacionamiento, usted no pararía el carro y voltear el volante y luego comenzar a manejar en la entrada. Con un solo movimiento suave, usted mantendría el movimiento del carro para adelante cuando usted da la vuelta con el timón.

a) Comience en la esquina superior a la izquierda.

b) Jale el escurridor a través del vidrio como lo haría normalmente con la mitad superior de la ranura delante de la mitad inferior.

c) Ponga cuidado con la vuelta que ha comenzado antes de que usted toque la terminación de la ranura del escurridor en la esquina de la ventana.

d) Jale el escurridor para abajo del vidrio empezando la letra "J". Cuando usted limpie para abajo de la ventana, cerciórece de que la terminación de la ranura del escurridor esté tocando el lado de la ventana. Este movimiento para abajo es el comienzo de su vuelta.

e) Al fondo de la "J", tuerza su muñeca y muévase para arriba al mismo ángulo como está ilustrado (como se practicó en la última página). Cuando usted termine la "J", jale el escurridor para atrás a través del vidrio. (Recuerde usar su dedos y su muñeca para voltear el escurridor, no su brazo, codo u hombro.

f) Jale el escurridor atrás a través del vidrio con la parte superior del escurridor adelante de la parte de abajo.

g) Comience a angular el escurridor más para cuando usted toque la moldura, pueda comenzar una "J" al revés hacia abajo de la ventana más fácilmente.

h) Comience hacia abajo de la ventana.

i) Cuando usted llegue hasta el fondo de su "J" invertida, tuerza su muñeca para que su palma mire para abajo. Siga subiendo la "J". Cuando usted haya terminado, comience a través de la ventana.

j) Devolviéndose nuevamente a través de la ventana, mantenga la mitad superior adelante de la mitad inferior.

k) Cuando ya no se pueda hacer la figura "J" en el vidrio, mantenga el escurridor contra la moldura y jale a través del fondo.

TORSION DEL ESCURRIDOR DE GOMA

Torsionar el escurridor de goma significa torcer su muñeca para que la presión se haga a un solo lado del escurridor. Hasta ahora, hemos aplicado igual la presión a ambos lados de la ranura.

Ocasionalmente, el agua se queda sobre el vidrio a la derecha o izquierda más extrema de tres pulgadas de la ventana. Tal vez la superficie del vidrio tenga una hendidura o la ranura del escurridor está doblada y el ule pasa por encima dejando un charquito de humedad en vez de una ventana limpia. Usted debe torsionar el escurridor al terminar la limpieza.

Para esto usted necesita ejercer una presión adicional a un lado del escurridor y logrará esto con torcer su muñeca.

Este movimiento de torcer el escurridor a la izquierda o a la derecha es presionar el ule del escurridor para abajo a un lado de la ranura, y levantar el lado opuesto de la ranura un poco.

COMO HACERLO

Con un apretón firme al escurridor, tuerza su mano como si sus nudillos estuvieran tratando de alcanzar la ventana. Se verá el ule aplanado al lado de la presión. También se sentirá la presión.

Para presionar al otro lado, tuerza su mano como si la palma de su mano estuviera tratando de tocar la ventana. Verá que se aplane el ule sobre la ventana.

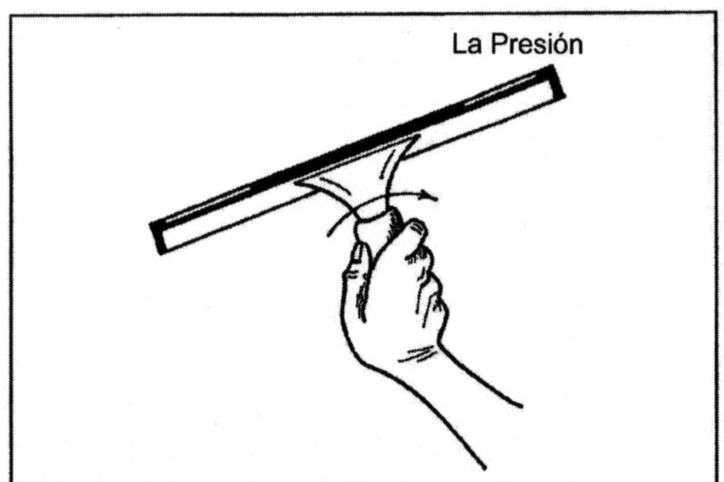

Torciendo el mango a la derecha aumenta la presión sobre el lado derecho de la ranura del escurridor.

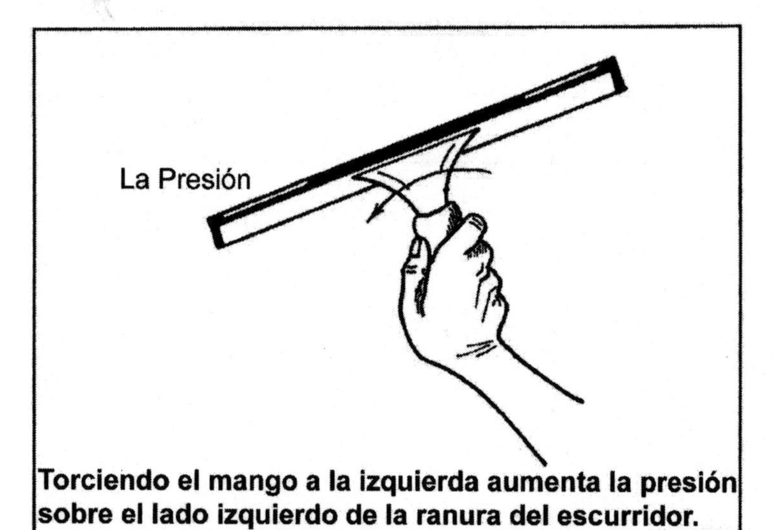

Torciendo el mango a la izquierda aumenta la presión sobre el lado izquierdo de la ranura del escurridor.

Torsionar el escurridor para limpiar el exceso de agua fuera del borde es más fácil y más rápido.

Tuerza su muñeca a la derecha para que sólo una cuantas pulgadas de la ranura toque el vidrio. Deslice el escurridor a través de encima.

Tuerza su muñeca a la izquierda para que sólo una cuantas pulgadas de la ranura toque el vidrio. Deslice suavemente a lo largo del borde izquierdo para arriba y para abajo.

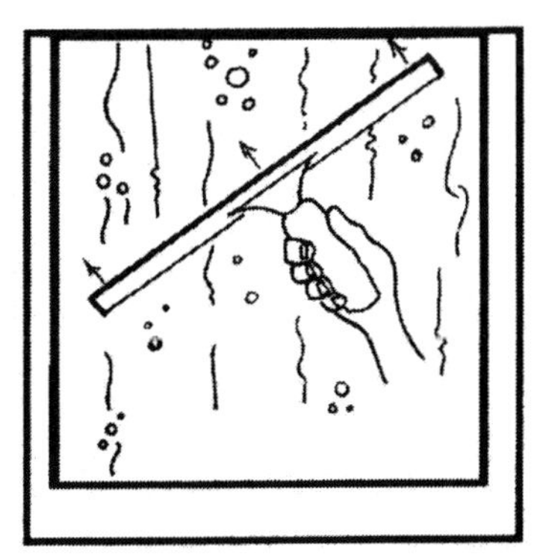

Ahora dele golpecitos al escurridor sobre el vidrio mojado para sacudir el exceso de agua y comience sus movimientos usuales del escurridor.

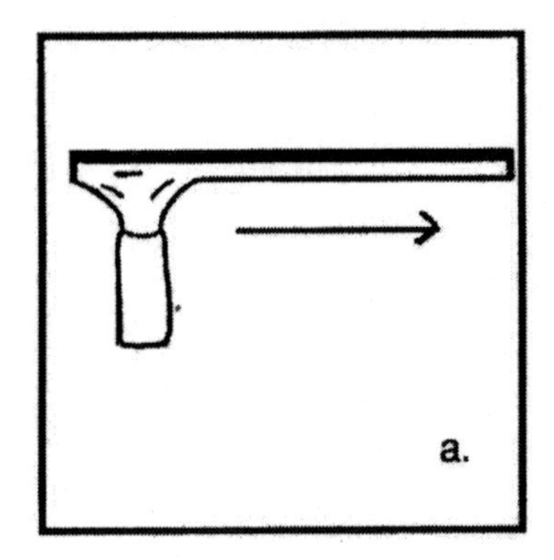

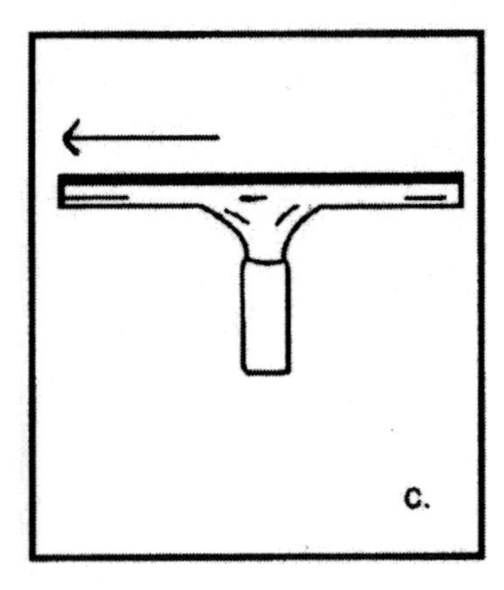

Cuando la parte superior de la ventana esté justo fuera de su alcance, utilice el método de torsionar.

En vez de usar un palo cuando la ventana esté solamente unas pulgadas fuera de su alcance, ya sea arriba o a un lado de usted, torsione el escurridor con la ranura extendida completamente a un lado.

a. Afloje la ranura y jálela a la derecha. Usted quiere toda la ranura a un lado, pero lo suficiente de ella ahí en el mango para sostenerla firmemente.

b. Torsione el escurridor hacia la dirección donde se encuentre laranura y deslice a través de la parte superior hasta el otro lado.

c. Cuando usted no tenga que alcanzar más vidrio, afloje el mango y deslice la ranura otra vez a su posición original.

LA LIMPIEZA DE VENTANAS ESPECIALES

Las Ventanas Fancesas

Las ventanas francesas

Las ventanas francesas son vidrios pequeños agrupados en juegos de 4, 6, 8, 9, 10, 12 o 15 vidrios en una puerta o una ventana. (Algunas veces se llaman "cortados".) Si el escurridor es muy grande para la ventana, usted puede cortar el escurridor para reducirlo con un sierra para metales (o véase el formulario en el apéndice para los diferentes tamaños de ranuras que usted puede ordenar.

Limpiar las ventanas francesas es sencillo.

1) Use una esponja húmeda o trapo mojado para mojar la ventana, mojando con un movimiento cuadrado (no en un círculo). Moje 3 o 4 vidrios a la vez.

2) Tome una toalla seca y limpie los bordes arriba y

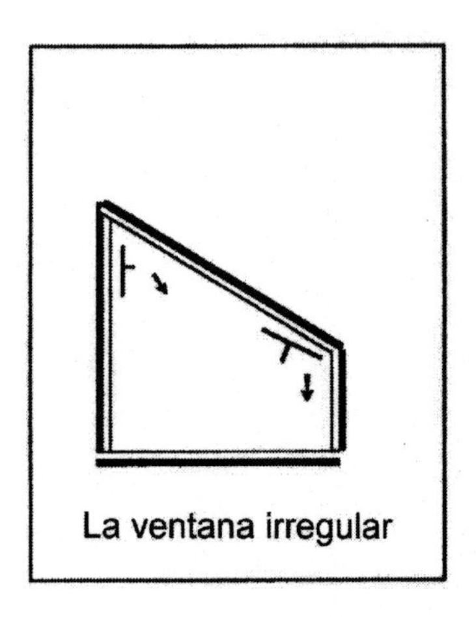
La ventana irregular

La Ventana de Tablillas

a la izquierda del vidrio. (Ponga su dedo en la toalla y limpie 1/2 pulgada de vidrio.

3) Limpie con el escurridor a través de la ventana y limpie el ule, luego limpie con el escurridor otra vez. Limpiando cuatro ventanas a la vez no debe ser ningún problema.

Las Ventanas irregulares

Las ventanas vienen de diferentes formas. El secreto de limpiarlas con escurridor está en comenzar en la parte inferior cuando está jalando el escurridor para abajo de la ventana para que su escurridor esté angulado correctamente al comienzo. Cuando pase por la ventana, comience al nivel más alto, y siga el ángulo al pasar por el vidrio.

Las Ventanas de Tablillas

Las ventana de tablillas

son esos juegos de vidrios largos, rectangulares que están paralelos el uno al otro que abren y cierran como contraventana. Que molestia. Para limpiarlos, primero ábralos todo lo que pueda. Comience con la tablilla de arriba, y mójela por encima y por debajo con un trapo mojado o esponja. Hay que echar más agua a la parte de encima por el exceso de tierra.

Ahora limpie con el escurridor encima de la primera tablilla para la izquierda y para la derecha. Voltee el escurridor y deslícelo a través de la parte de abajo. Parecerá imperfecto. Las ventanas de tablillas son difíciles y exigen paciencia.

ESPEJOS

Muchas personas creen que la limpieza de espejos es diferente a la de las ventanas. En la realidad, usted usa las mismas técnicas de limpieza. Lave y limpie con el escurridor tal como lo haría con cualquier ventana ordinaria, pero tenga cuidado con los enchufes eléctricos.

PRECAUCION: Muchos espejos tienen enchufes eléctricos salidos de su superficie. Tome sus precauciones no mojar el enchufe para no electrocutarse o causar un encendio.

VENTANAS TINTURADAS

Hay muchos tipos de laminados de plástico "tapizadando" las ventanas. Ellos disminuyen el calor y el reflejo del sol dentro de la casa o el carro.

La mayoría de los laminados con tintes se rayan fácilmente. Para evitar las líneas sobresalientes, lo que usted use para mojar la ventana es muy importante. Nunca use cuchillos de afeitar, trapos o almohadillas rasposas sobre una ventana tinturada. Rayarán el tinte.

Los mejores trapos para lavar son las camisetas viejas 100% de algodón o pañales suaves de bebé. Las esponjas suaves también son aceptables (queriendo decir las esponjas que están suaves aún así cuando están secas).

Después de mojar la ventana, use el método de dos pasos para limpiar con escurridor la ventana. Abanicando el vidrio puede rayar el tinte.

Etiquetas adhesivas o cintas adhesivas pegadas a una ventana tinturada pueden ser un problema "pegajoso". Hay un producto que se llama "Remove it" que afloja el pegamento de la cinta lo suficientemente fácil.

PRECAUCION: Con muchas variedades de tintes para ventanas disponibles hoy en día, se recomienda que usted pregunte a un profesional en su área si tiene más preguntas referente a las ventanas tinturadas. Si un escurridor es aceptable, entonces dése el gusto con el uso del escurridor.

CONTRAVENTANAS

Las ventanas regulares que se deslizan también incluyen un vidrio movible al exterior se llaman a veces ventanas para "tormentas". En climas en que las temperaturas llegan bajo cero y están sujetas a cambios violentos del tiempo, las casas están equipadas con ventanas de vidrios movibles. Durante los meses de verano, se pueden quitar y almacenar antes del invierno, las contraventanas están usualmente limpias y luego colocadas al lado exterior de la ventana.

VENTANAS DE VIDRIOS TERMALES

Una ventana de vidrio termal, como las contraventanas, tiene un espacio de insulación de aire entre los dos vidrios. Mientras que las contraventanas son movibles, las ventanas de vidrio termal están fabricadas para que no se muevan. Las ventanas de vidrio termal se limpian iqual que las ventanas regulares excepto que usted no debe usar cuchillos en los bordes. El espacio de aire está sellado entre los dos vidrios. Si hay un goteo en el espacio de aire, la humedad entra y empaña el vidrio. Usando cuchillos cerca de los bordes puede romper el sello.

VENTANAS DE CARROS

El escurridor de 12 pulgadas es excelente para las ventanas de los carros. El secreto es de seguir las curvas del vidrio para que el ule del escurridor se acueste bien en el vidrio.

Los limpiabrisas y las ventanas traseras se curvan horizontalmente. Entonces usted jalaría el escurridor a través del vidrio. Ya que es posible que usted no pueda alcanzar al otro lado de la ventana, comience sus movimientos en medio de la ventana mojada. Usted dejará una línea de agua en el centro, pero no se puede evitar. Sólo límpiela con un tapo limpio y seco.

Las Ventanas de Lado

La mayoría de las ventanas de lado están encurvadas verticalmente, entonces, después de mojar la ventana, jale el escurridor para abajo alrededor de la curva.

Recuerde, siga la curva del vidrio; no vaya en su contra.

LAS VENTANAS FRANCESAS EN FORMA DE DIAMANTE

Las ventanas francesas en forma de diamante son solamente ventanas francesas regulares excepto que están anguladas. El secreto es de seguir a lo largo de las molduras. Aún así cuando están anguladas, sólo siga el ángulo.

Si usted necesita una ranura de escurridor más pequeña, puede cortar una que tenga con una sierra o comprar una ranura más pequeña. (Véase el apéndice.)

CONSEJOS PROVECHOSOS

Quitando Depósitos de Calcio

Aquellas manchas blancas, comunmente llamadas depósitos de calcio o depósitos de agua, son las que quedan después de que se seca el agua en las ventanas repetidamente a través de un periodo de tiempo.

También, se forman por los rociadores de agua para céspedes cuando cae agua a las ventanas o por las duchas de los baños rociando contra las puertas. Esto es un problema común en las ciudades con cantidades altas de minerales en el embalse público de agua (agua dura).

Para remediar este problema utilice Soft Scrub™ o Shower N Stuff™ productos que contengan ácido oxálico. Frote con una almohadilla suave blanca de 3M SCOURING PAD para limpiar los depósitos. Solamente las almohadillas de color blanco pueden usarse para frotar las ventanas sin rayar el vidrio. (A veces se llaman almohadillas para pulir.) Una vez que usted haya limpiado los depósitos, aplique el producto "Invisible Shield" de Unelco para poner una capa protectora en el vidrio. Limpiar también con un escurridor las ventanas ayudará frecuentemente a prevenir que se formen estos depósitos.

PRECAUCION: Siga las instrucciones y advertencias colocadas por el fabricante en los productos.

Cómo Quitar el Espray Artificial de Nieve

La mayoría de los productos de nieve artificial de

lata pueden quitarse con aplicarse amonio directamente con una esponja. El amonio no solamente quita la pelusa sino el residuo espantonso que usualmente deja en el vidrio. Aplique amonio con una esponja húmeda a la nieve artificial. Frote la ventana hasta que la nieve artificial afloje luego lave y limpie la ventana con el escurridor. (Advertencia: Tenga cuidado de no inhalar los vapores de amonio.)

MAS CONSEJOS PROVECHOSOS

1) A veces después de que usted haya limpiado una ventana, use da cuenta de una raya, pero no se puede saber de qué lado de la ventana está. Algunos limpiadores de ventanas evitan esto con jalar el escurridor hacia abajo de una ventana al exterior y a través de la ventana por el interior. Si la raya parece correr para abajo de la ventana, ya sabe que está por fuera. Si la raya parece correr a través de la ventana, ya sabe que la raya está para adentro.

2) Con sólo 2 pulgadas de ventana mojada y 12 pulgadas de escurridor, usted sabe que el ule rayará el vidrio. Evite el rechinar del ule y la fricción con mojar el ule con una esponja antes de que usted comience. El agua lubricará el ule lo suficiente para dejarlo deslizar suavemente sobre el vidrio.

3) Utilice una botella de espray llena de alcohol medicinal para las ventanas francesas. Rocie con el espray cuatro ventanas, frótelas y límpielas con el escurridor. El alcohol se evaporará, dejando nada para limpiar.

APENDICE

Si usted es serio acerca de hacer la compañía de limpieza de ventanas más profesional, entonces *yo recomiendo fuertemente* que usted se haga miembro de la Asociación Internacional para la Limpieza para Ventanas (International Window Cleaning Association).

La IWCA (International Window Cleaning Association) fue creada para ofrecerle un lugar para aprender cómo hacer la mejor compañía para la limpieza de ventanas. En la IWCA usted encontrará cientos de hombres y mujeres prósperos que saben lo que necesitan para levantar un negocio de éxito; ellos tienen la experiencia de haber comenzado, crecido y madurado en las etapas del negocio de la limpieza de ventanas. Si usted tiene cualquier pregunta, la IWCA tiene la respuesta.

International Window Cleaning Association

1-800-875-4922

O, visite su página en internet www.iwca.org

Formulario para Ordenar

Ordene copias de este libro.

Como Limpiar Ventanas Como Profesional por $9.95 USD

Número de copias___@ **$9.95 $** ______

¡Ordene su libro hoy!

Total ______________

Envío* ______________

* El envío es de $3 por un libro, $4 por dos libros

Crystal Press
1750 Orr Avenue, Simi Valley, CA 93065
Teléfono: **805-527-4369**
Fax: **805-527-3949**

O visítenos en nuestra página de internet
www.crystalpress.org